감사합니다.

늘 행복하세요!

유경 俞

내 인생의 인연, 선물 같은 사람

저에게는 낳아준 어머니가 계시고 인생의 동반자인 아내가 있고 딸이 하나 있습니다. 모두 소중한 존재들입니다. 어느 자리에선가 저는 유경 대표와의 관계에 대해 단적으로 표현할 때 이렇게 말한 적이 있습니다. 그녀는 내 인생에 인연중에서 다섯 손가락 안에 꼽힐만한 소중한 분이라고 표현했습니다.

의료인으로서 치과의사는 훌륭한 기공 파트너가 있어야 나래를 활짝 펼 수 있습니다. 유경 대표는 저에게 강력한 엔진을 선사해 준 사람입니다. 그런 의미에서 저는 대단히 복 받은 사람이라고도 할 수 있습니다. 단지 기술이 탁월하다고 좋은 파트너가 될 수 있을까요? 그것은 당연한 조건 중 하나일 뿐입니다.

유경 대표는 일반인이 아닙니다. 그녀는 오 척도 안 되는 키에 목발에 의지하며 평생을 살아왔습니다. 꼬박 이틀이 걸리는 전신 기형교정수술을, 보호자도 없던 아가씨가 소화를 해냈습니다. 최근 어떤 중견 정형외과의사가 그녀의 방사선 사진을 보고, 교과서에서나 볼 수 있는 중증의 케이스를 현실에서 보았다며 놀라워했습니다. 하지만 그녀의 주위 사람들은 그녀가 장애인이라는 생각을 별로 하지 않는 것 같습니다. 저도 그중의 한 명이지요. 타인의 보살핌 속에서 살아도 이상하지 않을 상황에서 그녀는 직원이 50여 명이나 되는 강소기업을 맨손으로 일구어냈고, 현재도 진행형입니다. 항상 밝고 기운찬 에너지로 동에 번쩍 서에 번쩍 종횡무진 하고 있습니다.

이번에 여러 가지 단상과 이야기를 모아 책을 출판한다고 합니다. 그녀가 세상을 어떻게 보고 어떤 방식으로 살아가는지 자못 궁금하실 거라 생각합니다. 많이 알고 있다고 생각하는 저도 약간은 궁금합니다. 이 책에는 제가 그녀를 왜 그렇게 소중한 사람이라고 하는지에 대한 답도 내재되어 있을 것입니다.

2016.12.31

최성기 원장

거꾸로 걷는 CEO

하늘에 계신 우리 아버지여 이름이 거룩히 여김을 받으시오며,

나라이 임하옵시며 뜻이 하늘에서 이루어진 것 같이 땅에서도 이루어지이다.

오늘날 우리에게 일용할 양식을 주옵시고

우리가 우리에게 죄 지은 자를 사하여준 것 같이 우리 죄를 사하여 주옵시고

우리를 시험에 들게 하지 마옵시고 다만 악에서 구하옵소서

나라와 권세와 영광이 아버지께 영원히 있사옵나이다 아멘.

– 학교 다니기전 혼자 한글을 배우게 해준 주기도문 28p

거꾸로 걷는 CEO

도서출판 더클

프롤로그

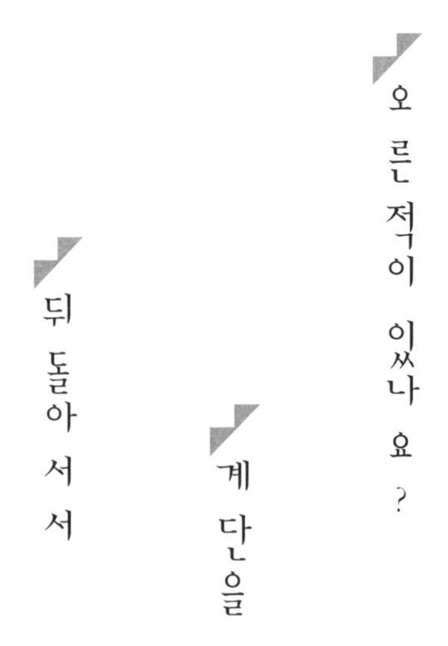

대부분 사람들은 이 질문에 고개를 갸웃거릴 겁니다. 일부러 하는 운동이 아닌 이상, 뒤돌아서서 계단을 오르다니. 보통 사람들은 당연하다는 듯 앞으로 걸으며 살아왔고, 계속 그렇게 살 것이기에 제 말이 위험한 행동처럼 들릴지도 모르겠습니다.

그러나 저는 앞으로 가기 위해 뒤로 걷는 사람입니다. 여전히, 매번, 뒤돌아서서 계단을 오릅니다.

저는 두 살 때 소아마비를 앓았습니다. 지금은 낯설게 들릴지도 모르지만, 당시에는 소아마비라는 병명을 어렵지 않게 들을 수 있었습니다. 저는 그 병으로 인해 보통 사람들과 약간 다르게 살아올 수밖에 없었습니다. 남들에게는 아주 쉬운, 똑바로 서 있거나 걷는 게 가장 어려운 일이 되었습니다. 결국 제 나이에 학교에 가지 못했습니다. 어린 마음에도 불편하다는 걸 분명하게 느끼고 있었지만, 언젠가는 스스로 걷게 될 날이 올 거라고 믿었습니다.

그리고 그렇게 바라던, 저만의 힘으로 걸을 수 있는 날이 왔습니다. 하지만 그날은 그냥 온 게 아니었습니다. 넘어져도 혼자 일어나야 했고, 또 다시 넘어져도 일어나야 가능한 일이었습니다.

사람은 자신의 몸 일부분을 잘 가누지 못할 때 답답함을 느낍니다. 그 때문에 삶의 의욕조차 떨어져 버린다고 하는데, 하반신이 불편한 저는 매번 답답함을 느끼곤 했습니다. 그러나 좌절에 굴복하는 순간 자신의 몸은 먼저 알아채고 나를 더 나약하게 만듭니다. 몸의 주인이 먼저 마음을 가다듬지 않는다면 몸은 따라주지 않고, 그 상태 그대로 머물러 있게 된다는 걸 깨달았습니다. 그렇게 멈추지 않고 걷고 또 걸어야 한다는 걸 알게 된 순간부터 걷는 연습을 했습니다.

저는 장애인으로 살아오면서 느꼈던 불편함을 떨쳐내고 이겨내고자, 남들과는 다른 방식으로 움직였습니다. 그 다른 방식 중 하나가 바로 '거꾸로 계단 오르기'입니다. 계단을 오르기 위해선, 등을 돌려 뒤돌아서야 했습니다.

계단을 뒤로 올라가다 보면, 내가 가려는 방향을 보게 되는 게 아니라 지나온 길을 보게 됩니다. 때로는 아찔하기도 합니다. 층층이 나 있는 계단들이 저를 쫓아와 제 뒤로 계속 생겨나고 있다는 느낌도 받습니다. 하지만 저는 분명 앞으로 가고 있습니다.

어떤 방식으로 올라가느냐는 것이 중요한 게 아닙니다. 한 걸음 한 걸음 가다 보면, 어느새 계단 위에 올라 숨을 크게 쉴 수 있다는 걸 이미 여러 번 겪어왔습니다. 제가 살아온 날들이 이렇게 거꾸로 계단을 오르는 일과 비슷하다는 생각으로 살고 있습니다.

먼저 장애에 대한 말로 글을 시작했지만, 제가 갖고 있는 장애에 대해서 말하려는 게 아닙니다. 그저 제가 살아온 삶과 일에 관해서 이야기 하려고 합니다. 다만 제 기억에도 없는 순간부터 장애가 생겼으니 떼어놓고 말할 수는 없을 뿐입니다. 누구에게든 삶을 지배하는 기억이나 사건들이 있기 마련이니까요.

지금의 저는 '유경덴탈워크'의 CEO입니다. 쓸 수 없는 치아를 대신해 치아 역할을 하는 보철물이나 교정 장치를 만들고 있습니다. 제 약한 발을 끌어올려 주는 보조기나 목발과 같은 존재를 만드는 게 제가 하는 일이 되었습니다. 오랜 시간을 들여 보철물과 교정 장치들을 만들 수 있게 되었고, 이것들이 누군가의 불편함을 보완해주고 생활하는 데 도움을 준다는 것이 꽤 뿌듯합니다.

저는 이 책을 읽는 여러분들에게 많은 질문을 할 것입니다. 질문과 답변을 통해 제 삶을 되돌아볼 수 있었던 것처럼 이 책을 읽는 모든 분에게도 질문으로 다시 삶을 들여다볼 수 있다는 걸 말하기 위해서입니다. 그리고 나쁜 일들을 잊기 위해서입니다. 저는 사실 딱히 기억나는 나쁜 일이 없습니다. 하지만 사람들은 자꾸 나쁜 일을 기억하고 되새기며 마음을 아프게 만들곤 합니다. 나쁜 일들은 잊어버리면 됩니다. 그것들은 이미 저 계단 아래 있고, 우리는 벌써 계단 위에 올라와 있다고 생각하는 게 어떨까요? 앞으로 걷든, 뒤로 걷든, 각자의 행복한 삶을 향해 앞으로 나아가면 좋겠습니다.

나쁜 일은 전부 계단 아래 내려두고 거꾸로 올라가고 있다고 생각합니다. 그렇게 생각하면 발걸음은 훨씬 가벼워집니다. 조금 더 행복할 수 있는 일을 만드는 것, 우리 모두에게 필요한 일입니다. 결국, 우리가 조금 더 마음 편하게 웃고 행복하기 위해서는 어떤 질문이 필요할까요? 제 질문에 여러분들의 생각이 천천히 싹트기를 바랍니다.

목차

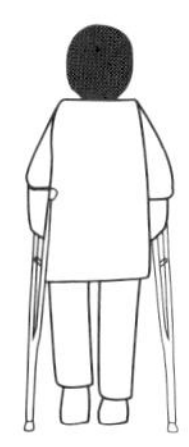

첫 번째 질문

계단을 오르는 방법은 몇 가지가 있을까요?

계단을 마주하고 오르는 것과 등을 돌려 오르는 것에는 어떤 차이가 있을까요? 그리고 이 책을 쓰고 있는 저와 이 책을 읽고 있는 독자 분들의 차이는 무엇일까요?

사실 그렇게 큰 차이라는 건 존재하지 않습니다. 약간 다른 지점이 존재할 뿐입니다. 이 책의 첫 장을 넘기면서 장애인을 위한, 장애를 극복한 사람의 이야기만 있을 거라고 생각할 수도 있겠습니다.

하지만 저는 다른 생각입니다. 제가 극복한 것들이 장애인들에게만 국한되어 있지 않다고 봅니다. 누구에게나 장애물은 존재합니다. 그리고 그건 누군가에게는 클 수도, 혹은 작을 수도 있습니다. 저에게 있어서 장애물은 조금 이르게, 오래 머물러 있는 것이라고 생각합니다. 그리고 장애물을 넘기 위해 노력할 뿐입니다. 모두에게 공감 받을 수는 없겠지만, 많은 사람들에게 공감 받고 싶습니다. 장애물이라는 건 스스로 없앨 수 있다는 제 생각을 말입니다.

이 글의 첫 부분에서 계단을 마주하고 오르는 것과 등을 돌려 오르는 것은 어떤 차이일까 하고 질문을 했습니다. 장애가 있느냐 없느냐의 차이가 아닙니다. 다른 방향으로 몸을 돌려서 계단을 오르는 일일 뿐입니다. 더 중요한 건 어차피 목표는 똑같다는 것입니다. 계단을 오르겠다는 의지 하나입니다.

계단은 거리 곳곳에 있습니다. 1층에 있는 식당도 간혹 두세 계단을 올라야만 할 때가 생깁니다. 그럴 때 한 번에 큰 보폭으로 오르는 사람도 있지만, 저는 계단을 등지고 목발에 몸을 의지한 채, 한 팔로는 제 발을 끌어올려야 합니다. 한 계단, 한 계단을 오르는 건 쉽지 않지만 그래도 계단을 다 오르고 맙니다. 시간이 걸리고 몸의 방향은 다르지만 결국 같아집니다.

가끔은 제가 계단을 오르는 방식에 대해서 생각합니다. 사람들이 저를 물끄러미 바라보거나 도와줘야 하나 싶어서 머뭇거리기라도 할 땐 더 많은 생각이 들기도 합니다. 그들의 방식에서 약간 다른 방식, 그리고 조금은 힘이 드는 방식을 온전하게 이해받기란 어려운 일입니다. 그러나 저의 정답은 등을 돌린 채 계단을 오르는 것입니다. 조금 시간이 걸릴지라도 저에게는 유일한 방법입니다.

사실 그 어떤 것에도 정답이라는 건 존재하지 않습니다. 누구나 다 자기만의 방법이 있기 마련입니다. 어쩔 수 없는 방법이든, 본인에게 더 편한 방법이든요.

저는 거꾸로 계단을 오르면서 발아래를 자주 내려다봅니다. 스스로 움직이지 않는 다리를 내 손으로 끌어올리는 건 쉬운 일이 아닙니다. 하지만 이렇게 양팔이 온전하게 운동력을 갖고 있고, 그 팔로 내 다리를 도울 수 있다는 것. 그리고 점점 위로 올라가는 제 몸에 대해서는 약간의 감사를 느낄 때도 있습니다.

그냥 쉽게 계단을 오르는 사람들은 하지 않는 것들에 대해서 사유할 때가 많다는 것. 그것만으로도 저는 기분이 좋아질 때가 많습니다.

'행복은 멀리 있는 게 아니다. 아주 가까운 곳에 있다.'

이 말을 자주 들으셨으리라 생각합니다. 명언집에서도 흔히 볼 수 있을 정도의 말 같아 보일지도 모릅니다. 하지만 어떠한 말이 자주 들리는 것에는 분명한 이유가 있습니다. 많은 사람들이 그 말에 인정을 했다는 것입니다.

저도 이 말을 허투루 넘기지 않았습니다. 누구든 한 번쯤 생각했을 법한 굉장히 행복한 주문이라고 생각합니다.

다시 질문을 해볼까요?

"계단을 오르는 방법은 몇 가지가 있을까요?"

정답은 무한대입니다. 나만의 방법은 언제 어디서나 존

재합니다. 그 방법으로 내가 조금 더 편하게 살 수 있다면, 그것만으로도 충분히 행복한 삶이라고 말하고 싶습니다.

두 번째 질문

마음에 흉터를 남기지않는 법이 있을까요?

제 키는 보통 사람의 3분의 2입니다. 혹은 아주 큰 사람 옆에 서게 된다면 2분의 1정도일지도 모릅니다. 작은 키로 바라보는 세상은 어떨지 다른 사람들은 가늠하기 어려울 수 있겠지만, 저에겐 이 모든 것이 매일 반복됩니다.

제 기억속에서도 희미한 어린 시절, 저는 소아마비에 걸리고 말았습니다. 지금은 옛날만큼 흔하지 않아 머리를 갸우뚱할 분들도 있겠지만, 당시에는 여럿이 소아마비에 죽기도 했습니다. 어떻게 보면 제 첫 행운은 이렇게 살아남아 행복한 세상을 바라볼 수 있다는 것입니다. 사람들은 막연하게 예측하며 제 삶이 불행의 귀퉁이에 더 가까웠을 거라고 생각합니다. 하지만 반대였습니다. 저는 늘 행복하게 살아왔으며, 행복하게 살고 있다고 자부하고 있습니다.

저는 다복한 가정에서 자랐습니다. 6남매 중 둘째인 저에겐 언니와 여동생, 그리고 3명의 남동생까지 있는데, 어릴 적부터 형제들은 저를 장애인으로 인정하고 도와줘야 한다고 생각하지 않았습니다. 그저 '나의 여동생'이자 '나의 누나', '나의 언니'라고만 생각해줬습니다.

그렇게 해준 데는 부모님의 덕이 컸습니다. 부모님은 한 번도 저를 다르게 생각하거나 더 강하게 보살피려 하지 않으셨습니다. 제 부모님을 모르시는 분들은 몸이 불편한 딸에게 무심한 게 아니냐고 말할 수 있겠지만, 그저 이 세상에 홀로 커 나가야 하는 시기에 딸에게 온다는 걸 일찍이 깨달으신 겁니다.

부모님은 형제가 많은 우리를 작은 사회처럼 인식하게 만들어 주시기도 했습니다. 집이라는 작은 사회에서 저는 구성원이 되어가는 방법을 깨달았습니다. 여섯 형제들이 있으니 당연히 나이 순서대로의 서열이 정해져 있었습니다. 강압적인 형태가 아닌 그저 집에서 배울 수 있는 최소한의 '집단' 이었습니다.

맞벌이를 하시던 부모님은 집안일은 형제가 나눠서 함께 해야 한다고 했습니다. 물론 어릴 적 제대로 설 수 없던 저도 마찬가지였습니다. 저도 가족 구성원이었으니까요. 부모님이 일터에 나가신 시간에 일하는 언니나 할머니가 저와 함께 집에 있었지만, 걸레질이나 집안 정리는 제 몫이었습니다. 가족이라는 울타리 안에서 각자 역할이 있었던 것입니다.

퇴근 후 집으로 돌아온 어머니는 각자의 도시락을 알아서 설거지통에 담아두면 설거지를 해주셨지만, 누군가 깜빡하고 다음 날 오전에 내놓는다면 스스로 해야 하는 규칙 같은 것들을 만들어 두었습니다. 그리고 도시락은 형제가 알아서 싸야 했는데, 반찬과 밥을 꺼내두면 각자 먹을 양을 도시락에 담는 방법이었습니다. 지금은 급식이 있어서 이런 방식을 이해할 수 없을지도 모릅니다. 급식이 없었을 때라 해도 다른 집은 어머니가 처음부터 끝까지 도시락을 싸주는 방식이 보통이었지만, 저희 집은 달랐습니다. 무엇이든 개인의 몫은 스스로 챙겨야 했습니다.

학교를 다닐 수 없던 저는 집안을 돌아다니며 제 일을 찾아 했습니다. 빨래를 갠다거나 물건을 정리하는 식이었습니다. 저에게 그 일은 하나의 놀이와도 같았습니다. 그리고 당연히 집에 있는 제가 해야만 하는 일이었습니다.

학교를 다니기 전까지, 그러니까 보조기를 하기 전까지는 집에서 혼자 나갈 엄두를 내지 못했습니다. 아예 나갈 방법이 없었던 거죠. 그래도 간혹 가족 누군가가 업어주어 곧잘 바깥에 나가기도 했습니다.

평소 집에 있으면서 바깥이 많이 궁금하다거나, 남들처럼 뛰고 싶다는 생각이 간절하지는 않았습니다. 제가 할 수 없는 일이라는 게 확실했기 때문입니다. 사람들은 간혹 절대 할 수 없는 일, 그리고 할 수 없지만 노력하면 할 수 있는 일의 경계에서 어려워합니다.

당시의 저는 밖으로 마음껏 나갈 수 있다거나, 남들처럼 뛰어 노는 일은 절대 불가능했습니다. 불가능한 일을 꿈꾸는 것만큼 스스로를 힘들 게 하는 것도 없었을 겁니다. 그러고 보면 제 이런 불가능에 대한 무관심이 제 삶에 있어서 얼마나 다행스러운 일이었나 싶기도 합니다.

처음 누군가의 등에 업혀 밖을 나갈 때, 처음으로 또래의 아이들을 볼 수 있었고 바깥의 공기가 가깝게 느꼈습니다. 그러나 기분이 좋다거나 하는 감정은 들지 않았습니다. 어린 마음에 굉장히 창피하다는 마음이 앞섰기 때문입니다. 그렇게 나갈 때마다 기분이 썩 좋지 않았습니다. 시간이 흐른 뒤 저는 이런 생각을 했습니다.

'어차피 이건 내가 만든 상황이 아니야. 그리고 내가 이겨낼 수 있는 일도 아니야.'

이겨낼 수 있는 일이란, 어떻게든 노력을 통해 어려움을 극복하는 것인데, 저에게는 또래처럼 똑같이 걸을 수 있는 방법이 전혀 없다는 걸 깨달았습니다. 이 생각을 하자 마음이 한결 가벼워졌습니다.

동네 아이들은 가끔 이런 식으로 묻기도 했습니다.

"왜 업혀 있어? 못 걷는 거야?"

저는 대수롭지 않게 대답했습니다.

"다리가 아프니까 그렇지."

어차피 앞으로 매번 듣게 될 질문이라고 생각해보니 그렇게 대답하는 게 가장 나은 방법이었습니다. 저런 질문은 밖을 나갈 때마다 꽤 많이 듣게 됐지만, 한 번도 아이들이 나쁘다거나 잘못됐다고 생각하지 않았습니다. 반대의 입장이 되었다면, 어쩌면 저도 그런 질문을 한 번은 했을 것 같았습니다.

저는 바깥보다 집안에서 훨씬 더 긴 시간을 보냈습니다. 그러다 보니 자연스럽게 저 자신을 생각하는 시간을 많이 가졌던 것 같습니다. 지금까지 이어지고 있는 긍정적인 생각들은 아마 그때 만들어진 게 아닐까 싶습니다. 그리고 시간이 흘러 학교에 처음으로 다니기 시작했을 무렵에는 가족과 함께 보낸 시간들, 홀로 보낸 시간이 학교생활에 적응하는 데 소중한 밑거름이 돼주었습니다.

저는 가끔 이런 생각을 합니다. 우리는 살아오면서 어

쩔 수 없는 상태에 머무르게 됩니다. 어쩔 수 없는 상태라는 건, 내가 극복할 수 없는 어떤 어려움이거나 피할 수 없는 장애물을 마주할 수 있다는 것입니다.

백 명의 마음을 열어젖힌다고 할 때, 그중 마음에 상처 하나 없는 사람이 얼마나 있을까요. 그리고 저도 마찬가지리라 생각합니다. 하지만 마음의 상처에도 언젠가는 딱지가 앉고 자연스럽게 떨어져 나가면서 새살이 돋아납니다. 저는 상대의 마음에 상처를 남기지 않는 법은 모르지만, 흉터를 남기지 않는 방법은 확실하게 알게 됐습니다.

무엇이든 긍정적으로 바라보는 것. 피할 수 없는 것을 그대로 받아들이는 것. 그리고 그런 나를 정확하게 마주할 때, 즐거운 일이 더 생기리란 것을 일찍 알게 됐습니다.

세 번째 질문

배움은 학교에만 있을까요?

제가 어렸을 때 어머니가 강조한 건 단 하나였습니다.

"너는 자라서 꼭 남을 돕는 사람이 되었으면 좋겠다."

그 말을 들었을 때 저는 고개를 끄덕였습니다. 그리고 생각했습니다.

'아, 반드시 남을 도우면서 살아야겠다.'

처음으로 남을 도와야 한다는 걸 어머니를 통해 알게 됐고, 시간이 지날수록 그게 얼마나 당연한 이야기인지 알게 되었습니다. 누군가는 이 말을 듣고, 도움을 받아야 할 사람이 왜 이런 결심을 했을까 하고 의아해할 수도 있습니다. 하지만 저는 한 번도 제가 누굴 도울 수 없다거나, 누군가의 도움으로 살아야 한다고 생각한 적이 없었습니다.

앞서 말했듯이 집안이라는 작은 사회에서 다른 형제들과 똑같은 시간을 보냈고 몸을 움직였습니다. 가정이라는 작은 사회에서도 제가 할 일은 늘 끊임없이 있었고, 저는 그 역할을 해냈습니다. 그러니 어머니의 말은 조금도 이상하지 않았습니다. 나중에 커서 집에서 하는 것처럼 집 밖 생활을 하게 되면, 분명히 남을 도울 일도 생기리라 믿었습니다.

사람들은 종종 집에 혼자 있을 때 외롭지 않았냐며 묻기도 합니다. 전혀 아니었습니다. 저에게 집은 늘 즐거운 장소였습니다. 소소한 집안일을 하는 것부터 집안일을 하러 오시는 전주할머니, 언니와 함께 시간을 보내는 것만으로도 충분했습니다. 할머니와 언니는 음식 솜씨가 좋았습니다. 지금도 그때를 회상하면, 집에서 할 수 있는 맛있는 음식은 그때 가장 많이 먹었다고 생각할 정도입니다. 그리고 종종 사건이 일어날 때마다 그것들이 주는 재미도 있었습니다. 나이차가 많이 나는 언니였지만, 그래봤자 언니의 나이는 이제 갓 학교를 졸업한 나이였습니다. 집안일이 그저 유쾌한 일은 아니었을 텐데, 얼마나 밖에 나가서 놀고 싶었을까 싶습니다. 그리고 집안일에 대해 할머니나 어머니만큼 알 수도 없었을 겁니다.

어느 날은 이불 홑청을 뜯어다 빨았는데, 광목천을 제대로 말리지 않은 채 두어서 이불에 곰팡이가 피었습니다. 어린 나이였던 언니는 그걸 어떻게 해야 할지 몰랐는지 그대로 장롱에 넣어두었습니다. 약간의 겁도 났을 겁니다. 당연히 어머니에게 혼이 나고 말았습니다.

언니의 실수는 그렇게 크지 않았습니다. 그저 옆에서 지켜보는 나로서는 약간 웃음이 나오는 정도였습니다. 금세 웃음 짓고 흥얼거리면서 설거지를 하고 집안을 정리하던 언니의 모습이 아직도 눈에 선합니다. 집안에서도 소소한 사건이 벌어졌고, 저는 그 사건을 바라보며 하나씩 기억을 쌓아갔습니다.

어머니는 물건이 어디 있는지 헷갈려 하실 때가 있었는데, 늘 제가 앞장서서 찾았습니다. 육남매에게 양말이 두 짝씩만 있어도 열두 짝입니다. 짝대로 맞춰져 있지 않으면 스물네 개씩이나 됩니다. 뭔가 어수선할 수밖에 없는 대가족이었습니다. 어머니가 물건을 하나 찾으려 하실 때마다 헷갈릴 만한 환경이었습니다. 저는 어머니가 찾는 물건을 찾는 게 하나의 게임 같았습니다. 남들은 소풍에 가서 겪었을 보물찾기와 같았습니다.

'나는 지금 어머니의 보물을 찾고 있다!'

놀이의 방식이 약간 달라보일지 모르겠지만, 저는 그것조차 즐거웠습니다. 이렇게 집안에는 생각보다 다양한 즐거움이 있었습니다. 물론 가끔은 심심할 때도 있었습니다. 그건 외롭다는 감정과는 다른 감정이었습니다. 그리고 몇 번 밖을 나갔다 온 후에는 밖에 나가고 싶다는 생각이 자주 들었습니다. 그럴 때마다 내 다리가 되어주었던 건 일을 해주는 언니였습니다. 그리고 동생들이 하교 후에 나를 업고 바깥을 나가기도 하면서, 기분 전환을 했습니다. 학교를 다닐 수 없던 저는 다른 형제들이 집으로 돌아올 때를 기다리는 일이 많았습니다. 그래야 밖에도 나가고, 조금 더 다양하게 시간을 보낼 수 있었으니까요.

부모님은 그런 제 마음을 읽었는지 어느 날, 동화책을 사다 주셨습니다. 덕분에 동화책을 하루도 거르지 않고 매일 읽었습니다. 어릴 적에 한글을 혼자 배웠다는 사실이 감사하고 자랑스럽습니다.

그 배움은, 교회에서부터 시작되었습니다. 일곱 살 때쯤 교회에서 주일학교 선생님께서 '주기도문'을 외워오라는 말을 들었습니다. 엄마와 언니에게 물어보니 성경책 맨 뒤를 펼치면 그곳에 쓰여 있는 게 주기도문이라고 했습니다. 저는 한 페이지밖에 안 되는 그 글을 외우고 싶다는 생각이 들었습니다. 아직 글자를 읽을 줄 모르는 상태였는데도 말입니다. 엄마와 언니가 읽어주면 저는 그 소리와 글씨를 비교해가며 외웠습니다. 그렇게 무작정 외우다 보니, 어느새 한글까지 깨우치게 되었습니다.

그 뒤로는 무엇이든지 읽을 수 있었고 동화책을 보다가 하루가 금방 가버리기도 했습니다. 동화책을 본 후에는 형제들의 교과서를 들춰보기 시작했습니다. 가끔 문제도 나왔는데 제가 풀 수 있는 문제가 나오면 반갑고 신기했습니다. 아직 한 번도 수업을 들어본 적이 없고, 문제 풀이도 해본 적 없던 저에게는 일종의 놀이와 같았습니다.

세종대왕님이 한글을 쉽게 만들어줘서 제가 혼자

홈스쿨링이라는 단어를 그때부터 알았던 건 아니지만, 어릴 적에 제가 집에서 교육을 받았던 방식도 하나의 홈스쿨링이 아니었을까 싶습니다. 물론 집에서 다양한 과목을 체계적으로 배운 건 아니지만, 제일 중요한 걸 배웠습니다. 어머니에게 들었던 '남을 돕고 살아야 한다는 것' 말입니다. 지금도 그 말이 귀에 선명할 정도이고, 앞으로도 계속 꼭 지키고 싶은 말입니다.

당시 제가 가장 잘 배웠다고 생각하는 건 한글입니다. 글을 몰랐다면 어땠을까 하는 상상을 한 적이 있습니다. 읽지 못해서 창피한 마음 보다, 더 많은 책을 읽을 수 없다는 점에서 오는 아쉬움이 더 컸을 거라는 생각이 들었습니다. 물론 다른 사람에겐 당연한 교육이겠지만, 제가 소홀히 했다면 어땠을까요. 세상을 이해하는 데 더 많은 시간이 걸렸을지도 모르겠습니다.

무언가를 배우는 곳은 정해져 있는 걸까요?

저는 '배우는 곳'에는 전혀 경계가 없다고 생각합니다. 집이든 바로 대문 앞이든, 걸으면서든 뛰면서든, 어디든 배울 수 있는 곳은 있습니다.

우리가 많은 곳을 오가고, 많은 것을 보면서도 배우는 게 없다고 생각하는 이유는, '배움'이 지식을 쌓아올리는 것이라는 선입견 때문입니다. 배운다는 건 꼭 지식의 양의 많아지는 게 아닙니다. 내면이 더 깊어지는 것, 나를 한 번 더 되돌아볼 수 있는 것, 타인을 더 들여다보는 것. 이런 다양한 것들이 배움이 아니라면, 무엇이 배움일까요?

배운다는 것에 선입견을 가지지 마세요. 오히려 더 많은 것을 놓칠 수도 있으니까요.

네 번째 질문

처음을 기억하나요?

지금처럼 스스로 걸을 수 있게 된 건, 14살이었습니다. 당시 처음으로 보조기를 하면서, 드디어 걸을 수 있게 되었습니다.

보조기를 찬 날, 사람들은 좋겠다고 말했습니다.

"경이는 좋겠네! 이제 어느 곳이든 갈 수 있잖아."

처음 '내 힘으로 걸을 수 있게 됐으니' 얼마나 즐겁겠냐는 말이었습니다. 그러나 제 기억 속 첫 걸음은 고통이었습니다. 보조기를 양발에 착용했을 때, 처음으로 온몸이 아프다는 걸 느꼈습니다. 양발 끝에서부터 조이는 느낌이 금세 몸 전체까지 퍼져나가는 기분이었습니다.

열네 살은 많은 나이가 아닙니다. 당연히 이질적인 아픔에 눈물을 꾹꾹 참아야 했습니다. 저는 생각나지 않지만, 움직이는 게 그렇게 중요한 일이냐며 어머니에게 보조기를 하기 싫다고 울고불고 난리를 치기도 했다고 합니다. 보조기를 하는 것이 그렇게 중요한 일이 아니라고 느꼈던 것 같습니다. 적어도 온몸의 고통을 감내할 정도의 기쁨이 아니었던 거죠. 집밖은 생각보다 좋은 곳이었지만 저는 혼자 그것을 해낸 적이 없었습니다. 그리고 꼭 그렇게 해야 할 필요성도 못 느꼈습니다. 나가고 싶을 때에는 매번 언니나 동생이 도와주었으니 큰 필요성을 느낄 수 없었습니다.

하지만 부모님의 생각은 달랐습니다. 언제까지 내 눈앞에 누군가의 등이 있을 리 없을 테니까요. 문제는 보조기뿐만이 아니었습니다. 보조기는 어디까지나 다리를 고정해주는 역할만 하지, 저를 걷게 만들지 못했습니다. 양쪽 겨드랑이 사이에 목발을 넣고 걷는 연습을 해야 했습니다. 목발은 목발대로 보조기 만큼이나 힘들었습니다. 내가 가고 싶은 곳으로 목발을 뻗기조차 힘든 날들이 지속됐습니다.

누군가의 등에서는 내가 가고 싶은 방향으로 간다는 게 힘든 일이라고는 생각한 적이 없었으니 더더욱 '하기 싫고 어려운 일'이 되어버렸습니다. 그러나 걷게 되면서 바뀐 게 하나 있었습니다. 어쩌면 그 변화 때문에 무던히 걷는 연습을 하게 됐는지도 모릅니다.

그건 바로 학교에 다닐 수 있게 된 일이었습니다. 제가 열다섯 살이 되던 해였고, 초등학교 6학년 수업을 들을 수 있게 되었습니다. 물론 정식으로 입학을 한 건 아니었습니다. 청강생이라는 자격으로 수업에 참여했습니다. 학교를 간다는 건 새로운 도전이었습니다. 보조기를 하고 목발 짚는 연습을 하면서 혼자 힘으로 걷는 게 가능해졌지만, 익숙하지 않은 탓에 3살 터울 남동생이 저를 도왔습니다.

'처음'이라는 단어에 뒤섞여 있는 감정 중, 설렘보다 더 큰 건 어색함이 아닐까 싶습니다. 학교라는 낯선 공간에 있게 되면서, 또래이긴 하지만 저보다 어린 나이의 아이들과 함께 공부를 했습니다. 당연히 어색했습니다. 아이들은 지금까지 함께 학교를 다니던 또래가 아닌 저에게 경계의 눈빛을 보내기도 했습니다. 그 시선은 어색함을 더 짙게 만들기도 했습니다.

하지만 아이들끼리 있는 공간은 쉽게 웃음이 넘치기 마련입니다. 저는 금세 반 친구들과 어울렸습니다. 아이들이 저를 처음 바라보던 눈빛은 어떤 큰 의미가 있는 게 아니었습니다. 단지 저와 같은 낯선 또래를 처음 만난 눈빛이었을 뿐이었습니다.

그렇게 어렵게 학교를 다니면서 깨달았습니다.

'온통 처음 하는 일이구나. 세상에는 정말 많은 게 있구나.'

세상에서 가장 많은 일을 겪은 시기를 꼽자면, 바로 초등학교 6학년 청강생으로 수업을 들었던 열다섯 살 때 일 것입니다. 조금 과장해서 말하자면 다시 태어났다는 생각이 들 정도였습니다. 그동안 집 바깥을 누군가의 등 너머를 통해 그릴 수 있었다면, 처음 걸어 간 학교는 주변을 마주하고 만질 수 있는 실제적인 활동이었습니다.

청강생의 신분이었지만, 즐거운 일은 자주 있었습니다. 그중에서 가장 기억에 남는 일은 단연 상을 받은 일입니다. 어린 시절 왜 그렇게 열심히 일기를 쓰고 선생님께 검사를 받았는지 모르겠습니다. 다른 학생들은 그 이전부터 꾸준히 해오던 일기 검사였지만, 저는 아니었습니다. 하루하루 있던 일을 쓰는 것, 그리고 그것을 선생님께 검사 받는 게 마냥 즐겁기만 했습니다.

열심히 일기를 쓴 덕에 저는 상을 받을 수 있었습니다. 정확하게 말하자면, 기록 없는 상을 탔습니다. 제가 청강생이기 때문이었습니다. 면밀히 따지자면, 저는 그 학교 학생이 아니었지만 선생님은 제 사정을 알고 따로 상장을 만들어 주셨습니다.

처음으로 받은 상장이었습니다. 남들에게는 한 번씩 받을 법한 상장이었지만, 저는 태어나 처음으로 간 학교에서 처음으로 받은 상장이었습니다. 처음이라는 말을 처음 배운 것처럼 가슴이 뛰었습니다. 그리고 삶을 살아가면서 더 많은 일들이 제 앞에 펼쳐지리라는 것을 예상할 수 있었습니다.

사람들은 첫발이 중요하다고들 말합니다. 저에게 첫발은 바로 학교였습니다. 남들은 더 어릴 적부터 다니는 학교를 저는 뒤늦게 다니며, 어떤 시작을 알게 된 것입니다. 저에게 학교라는 공간은 남들처럼 시작의 의미로만 있는 게 아닌, 정말 제 발을 제 의지대로 움직일 수 있었던 첫걸음이었습니다.

비록 두 다리가 남들만큼 자유롭지는 않았지만, 제 힘으로 생애 첫발을 떼며 가슴이 울렁거리던 순간이 아직도 생각납니다. 여러분들의 처음, 첫발이라고 하던 순간이 언제인가요? 그 가슴 떨리던 순간을 아직도 기억한다면, 우리는 지금 이 자리에서도 어떤 첫 시도를 할 수 있을 겁니다.

다섯 번째 질문

소중한 친구가 있나요?

친구라는 단어를 보면 제일 먼저 떠오르는 게 무엇인가요? 그리고 친구를 어떤 존재라고 생각하시나요?

저는 친구란 '함께 나란히 걷는 존재'라고 생각합니다. 누구든 제 말에 어느 정도는 동의하실 거라고 생각합니다. 그건 같은 공간에 있어서가 아닙니다. 친구라는 존재와는 아무리 멀리 몸과 몸이 떨어져 있어도, 마음만큼은 서로에게 가 있어 함께 걷고 있다는 생각이 듭니다.

함께 걷는다는 말이 저에게 더욱 직접적으로 느껴질 수

밖에 없습니다. 학교를 다니던 제 곁에는 늘 제 가방을 들어주던 친구들이 있었기 때문입니다.

학교를 다니면서 가장 좋았던 걸 꼽자면 친구를 사귀는 일 이었습니다. 어릴 적에 가족들과 부대끼며 지냈던 덕분인지, 저는 친구들과 쉽게 친해질 수 있었습니다. 또래를 보면 집에 있는 언니나 동생들이 먼저 떠올랐습니다. 집에서 동생들과 놀던 때처럼 느껴지니 다가서는 게 어렵지 않았습니다.

사실 1년 다녔던 초등학교에서는 친구라는 존재를 막연하게 상상만 했었습니다. 물론 당시에도 친구가 있었지만, 함께 학년을 새롭게 시작하는 친구라는 것과 그렇지 않은 것에서 약간의 차이를 느꼈는지, 아니면 친해지자마자 각자 다른 중학교로 배정을 받으면서 헤어져서인지 새로운 친구를 기다릴 수밖에 없었습니다. 중학교에 들어가서는 '친구'라는 단어의 의미를 명확하게 생각하게 됐습니다. 그때도 나의 등굣길은 동생들과 함께였습니다. 동생과 나는 바늘과 실처럼 교문을 통과했습니다. 그러나 하교가 문제였습니다. 저의 이런 고민을 알았는지 선생님은 저와 하굣길 방향이 같은 친구에게 저의 가방을 들어주라고 부탁했습니다.

그때 만나게 된 친구가 있습니다. 그 친구와 나의 인연은 굉장히 길고, 여전히 친한 친구로 지내고 있습니다. 당시 제 중학교 생활 하교 짝꿍으로 3년 내내 붙어 다니면서, 단짝이 되었습니다. 함께 길을 걸으면서 수많은 이야기를 나누면서 차츰차츰 서로를 더 알게 되었습니다. 하지만 친구와 고등학교를 다른 곳으로 배정받으면서 헤어지게 됐습니다. 친구는 익산으로, 저는 신태인에 있는 학교로 가게 된 것입니다.

지금이야 친구와 메시지를 주고받으면서 관계를 이어나갈 수 있었지만, 당시에는 삐삐조차 없던 시절이었습니다. 그렇게 헤어진 우리는 아주 가끔 만나게 되는 친구 사이였지만 늘 서로를 친한 친구라고 여기며 잊지 않았습니다. 나중에 다시 이야기하겠지만, 저는 대학을 한 번에 가지 못했습니다. 원래의 나이보다 2년 늦게 학교를 가게 됐고 1년 더 대학을 준비했으니 요즘 말로 삼수생의 나이였습니다. 저는 그 시기에 친구를 다시 만나게 됐습니다.

친구는 어두운 표정으로 말을 했습니다.

"나는 그냥 대학 안 가려고. 아니, 못 갈 것 같아."

"왜?"

"집안 사정도 있고… 아무래도 대학은 내 욕심이지 않을까?"

친구의 슬픈 표정을 바라보자 저도 같이 울컥한 심정이 되었습니다. 중요한 건 대학이 아니었습니다. 내가 좋아하는 친구가 하고 싶은 일을 할 수 없다는 게 슬펐습니다.

그리고 저는 곰곰이 생각했습니다. 저처럼 무한 긍정인 사람에게 어쩔 수 없는 일이란 없었습니다.

"아냐. 어떻게든 할 수 있어. 원서부터 쓰자. 우선 그러고 나서 생각하자."

저는 친구의 손에 원서비를 쥐어주었습니다. 집에서 받은 용돈이었는지 기억나지는 않지만, 그 돈을 친구에게 건네고 신신당부했습니다.

"보건대학교 물리치료과도 괜찮을 것 같아. 나중에 분명 써먹을 일도 많을 거야."

일단 대학에 들어가면 해결책은 다 생길 거라고 여겼습니다. 이 세상에 어차피 무엇이든 해결될 일들만 있을 거라는 믿음이 있었으니까요.

어떻게 되었을까요?

당연히 친구는 대학에 갈 수 있었습니다. 그것도 저와 같은 대학에 말입니다. 사실 물리치료과를 추천하면서 내심 저와 같은 대학에 갔으면 하고 바랐습니다. 그렇다면 그 친구에게 더 도움을 줄 수 있을 거라 생각했습니다.

저는 어차피 집과 학교의 거리가 꽤 멀어 자취를 해야 했습니다. 친구에게 말했습니다.

"내가 자취방을 구할 테니까 일단 내 자취방에서 같이 지내면서 학교 다니면 될 거야."

친구는 틈틈이 아르바이트를 하며 학비를 벌었습니다. 그리고 함께 졸업을 하게 됐습니다.

어려운 일이라는 건 있다가도 없습니다. 막상 닥치면 해결되는 일들이 있기 마련입니다. 그리고 주변에 친구가 있다면, 함께 헤쳐 나갈 수도 있습니다. 제가 말하는 함께는, 무조건 도와야 하는 강압적인 관계를 말하는 게 아닙니다. 그저 내가 함께 걷고 싶고 돕고 싶은 존재. 나의 어려움을 함께 나눌 수 있을 정도의 관계여도 충분하다는 말입니다.

저도 사실 친구들을 왕왕 잊고 살기도 합니다. 그 친구들을 생각하지 않아서인 건 절대 아닙니다. 그저 눈앞에서 해결해야 할 일이 많고 챙겨야 하는 일이 많아지면서 자연스럽게 자주 연락을 하지 못하게 됐습니다.

여러분 곁에는 분명 여러분을 아끼고 사랑하는 친구가 있을 겁니다. 그리고 반대로 내가 사랑하는 친구도 있을 거라 생각합니다. 없다고요? 그렇다면 지금이라도 그런 친구를 만들어야 하지 않을까요? 아니면, 본인 스스로가 그런 친구가 되어보는 건 어떨까요?

어떤 방식으로 나아가든 친구가 생긴다면 분명 즐거운 일이 두 배로 늘어날 것입니다.

여섯 번째 질문

여러분의 선생님은 누구인가요?

선생님이라는 존재는 누구에게나 있을 거라 생각합니다. 선생님을 떠올리면 뒤죽박죽 여러 얼굴이 떠오릅니다. 하지만 제 삶의 첫 번째 선생님은 단연 어머니입니다. 어머니를 통해 많은 걸 배운 건 비단 저만의 이야기는 아닐 것입니다. 만약 어머니가 안 계신다고 하더라도 어머니처럼 곁에서 많은 걸 알려준 사람이 있을 겁니다.

어릴 적 어머니에 대한 기억은 다양합니다. 어머니는 늘 바빴고 열심이셨습니다. 어머니, 아버지는 지역에서 공무원 생활을 하셨는데, 할머니와 할아버지의 연세가 많아지자 두 분이 계신 신태인으로 옮겨 농사를 짓기 시작했습니다. 논과 밭을 일구고 돼지를 키우면서 어머니는 싫은 표정 하나 없으셨습니다. 다만 몸이 약한 어머니는 며칠을 앓기도 했습니다. 그런 어머니를 보면서 저는 얼른 커서 어머니를 도와야겠다고 생각했습니다.

저는 집에서 말을 잘 듣는 딸이었습니다. 하라는 대로 한다는 말이 아닌, 약속한 것만큼은 지켰습니다. 형제가 많은 집에서 부모님은 무엇보다 서로 협력하고 우애가 좋을 수 있도록 형제 간 중심을 제대로 잡아주셨습니다. 집안일이나 형제 간 서열이 우리 집의 기본적인 질서였습니다. 나이 차가 별로 안 나더라도 확실하게 누나, 형이라는 것을 강조했습니다. 그건 하나의 예의였습니다. 각자 커서 사회라는 곳으로 진출한다고 했을 때, 가장 필요한 일이기도 했습니다.

그 다음으로 중요한 건 대화였습니다. 저는 집에서 어머니나 아버지가 저나 형제들과 함께 대화를 자주했기에 그게 당연한 줄 알았습니다. 대화는 길게 잔소리로 이어지거나 숙제를 확인하거나 해야 할 일을 시키는 것과는 달랐습니다. 어쩌면 전혀 그 반대라고 할 수 있습니다.

간혹 다른 친구 집에 가서는 놀라기도 했습니다. 하나부터 열까지 친구를 챙겨주는 어머니라는 존재가 무언가 어색하게만 느껴졌습니다. 저희 어머니는 제가 대학을 다니며 혼자 살던 때에도 제 자취방에 한 번도 오신 적이 없었습니다. 제가 필요한 게 있다면 제가 직접 집에 찾아가서 찾아오는 식이었습니다. 그리고 그건 저도 당연하다고 생각했습니다. 수십 년을 함께 부대끼며 서로를 잘 알고 믿기에 가능한 일이었습니다.

제일 가까운 곳에 언제나 어머니라는 선생님이 있었던 덕분에 저는 제약된 상황에서도 많은 것들을 선택할 수 있었습니다. 어머니가 가장 단호하게 저에게 강요한 일은 보조기를 하도록 하는 일이었습니다. 그 외에 단호한 말이나 기타의 것들은 생각나지 않을 정도입니다. 그만큼 자유 의지로도 충분히 할 일을 할 수 있다는 걸 인식하게 해주셨습니다.

저는 제 장애로 인해 제약받을 수 있는 일들을 잘 알지 못했습니다. 아직 겪어보지 못하고, 부딪혀보지 않은 일들이 많았을 때라 가늠조차 되지 않았습니다. 하지만 저보다 더 오래 사신 부모님은 아셨을 겁니다.

어머니는 어릴 때부터 저에게 '어떤 일을 했으면 좋겠다'라는 생각을 자주 내비치셨습니다. 물론 저라는 개인의 자유적인 의지와 희망도 중요하게 생각하셨고 처음 하고 싶을 일을 떠올렸을 땐 어머니의 바람이 아닌 것들을 먼저 생각하기도 했습니다.

부모님이나 조부모님께서 중요하게 여기는 게 있었습니다. 다른 건 몰라도 대학만큼은 무조건 가야 한다는 것이었습니다. 지금 생각하면 조금 신기한 부분이기도 합니다.

'여자는 대학에 안 보내도 된다.'
'공부보다 일을 하는 게 더 낫다.'

이런 식으로 얘기하는 어른들이 더 많았던 때이기 때문입니다. 우리 집에서는 그런 차이가 없었습니다. 남녀의 차이, 성별로 인한 불공정함은 콩 한 알에도 없을 정도였습니다. 그러나 앞서 말했듯이 제 학창 시절은 그런 시대가 아니었습니다. 기억해보면 이런 일도 있었습니다. 수업을 듣다 반 친구가 가방을 메더니 집을 가야 한다고 그랬습니다. 저는 어떤 일인지 물었습니다.

"아직 수업 남았어! 어디 아픈 거야?"

그리고 돌아오는 친구의 대답에 저는 어리둥절할 수밖에 없었습니다.

"아니, 얼른 오빠 밥 차려주러 가야 해."

지금은 상상도 못 할 일이었지만, 당시에는 당연한 일이었습니다. 남자들도 여자와 마찬가지로 손과 발이 있고 반찬이 무엇인지 가려낼 수 있었지만, 밥을 차리고 치우는 일은 여자의 몫이었습니다. 어떻게 보면 이런 가정에 태어나 자란 게 저에게 있어 얼마나 다행인지 모릅니다.

어머니는 자주 제 진로에 의견을 내주고 상의해주셨습니다. 사실 어릴 땐 아는 것보다 알지 못하는 게 많습니다. 그래서 하나님이 어머니를 곁에 보내주신 게 아닐까 싶을 정도로 말입니다.

제가 대학에서 가장 배우고 싶었던 건 수학이었습니다. 단순한 이유였습니다. 학교 수업 중 제가 가장 좋아하는 수업이 바로 수학이었기 때문입니다. 제 꿈을 듣고 나서 어머니는 약간 걱정을 하셨을 겁니다. 저희 집에서 가장 중요한 건 '자립해야 한다'는 것이었습니다. 그런데 저는 학자의 길로 가려고 하니, 어머니 입장에서는 자립과는 좀 떨어지는 게 아닌가 싶어 걱정스러웠나 봅니다.

그때 처음으로 어머니가 한의대를 말씀하셨습니다. 조금은 생소했습니다. 학교 교육만 받다 보면 더 많은 것들이 얼마나 다양하게 있는지 어렴풋하게만 알 뿐이었습니다.

무엇보다 어머니가 우선시했던 건 다른 사람을 돕는 일이었습니다. 그리고 제가 스스로 자립할 수 있는 일을 두 번째로 생각하셨습니다. 그러다 동생들이 많다 보니, 약학과를 말씀하셨습니다. 그땐 약학대가 6년제가 아닌 4년제였고 제가 사는 지역 대학에도 있는 학과였습니다. 가장 문제인 건 점수였습니다. 웬만큼 점수가 높은 학과 중에서도 최상위에 있는 학과였습니다. 하지만 다행스럽게도 저는 나름 우등생에 속해있었습니다. 점수를 그대로 유지한다면 합격은 문제가 아니었습니다.

어머니는 저를 가장 잘 아는 존재셨고, 지금도 그렇습니다. 그리고 무엇보다 제가 잘 되기를 간절하게 바라신 분이었습니다. 저는 어머니의 생각을 깊이, 그리고 오래 생각했고 마음을 다잡았습니다. 어머니의 생각이 저에게 더 나은 길이라는 생각을 했고 더 열심히 공부를 했습니다.

우리 주변에는 '내가 알지 못하는 것을 아는 사람'이 있습니다. 그리고 반대로 '내가 아는 걸 아직 모르는 사람'도 있습니다. 어떻게 세상에 있는 많은 일을 모두가 다 알 수 있을까요. 그렇기에 우리는 곁에 늘 선생님을 만들어두어야 합니다. 저는 저의 첫 선생님이 어머니라고 생각했고 어머니 말을 잘 따랐습니다.

다른 사람들에게도 이러한 선생님은 꼭 있어야 한다고 말해주고 싶습니다. 그러나 선생님이라는 존재는 무조건 나이가 많은 어른이라는 법칙은 없습니다. 곁에 있는 어린 동생이 될 수도 있고 후배가 될 수도 있으며 혹은 더 어린 아이들이 될 수도 있습니다.

혼자 사는 세상이라는 건 없습니다. 모두가 함께 살아가는 곳이 바로 세상이라는 곳입니다. 중요한 건 우리가 모르는 것들이 정확한 사실이 아니라 그저 남들의 생각, 의견이라 해도 함께 공유하고 배워야 합니다. 배우는 것을 게을리 하지 마세요. 그리고 관계를 통해 배움을 깨닫기를 바랍니다.

일곱 번째 질문

실패가 기억나시나요?

대부분 사람들은 실패를 오래 기억합니다. 그리고 그 이유를 다시 실패하지 않기 위해서라고 말합니다.

실패를 기억하면 정말 같은 실패를 하지 않게 될까요?

저마다 이유나 입장은 다르겠지만, 한 번쯤은 자신의 실패를 되돌아봐야 하는 순간이 있습니다. 그래야 그 실패를 힘껏 제 삶의 안쪽으로 끌어들일 수 있습니다. 그렇게 하면, 그건 더 이상 실패가 아닙니다. 지나온 길이 될 뿐입니다.

저는 어머니가 말씀하신 대로 사람을 돕기 위해 약학대를 생각했습니다. 어머니가 강조하신 자립은 정확하게 알 수 없었지만, 그곳에 가면 알 수 있으리라 생각했습니다. 그렇게 시험을 보고 원서를 쓰게 됐습니다. 면접 일정에 맞춰 대학에 찾아갔습니다. 1등 점수는 아니더라도 나름 1등에 가까운 점수였으니 자신 있었습니다.

누군가의 질문에 혼자 오롯이 앉아 대답하는 건 처음이었습니다. 강의실에는 교수가 3명 앉아있었습니다. 처음에는 잔뜩 긴장했지만 그저 일상적인 질문이 나왔습니다. 저는 대수롭지 않게 생각을 했고, 점수 때문인지 실낱같은 의심 하나 없이 합격하리라 믿었습니다. 그러나 며칠 후 저는 불합격 통보를 받게 됐습니다.

이때의 불합격이 저에게는 최초의 실패로 기억됩니다. 물론 그 전에도 있었겠지만, 대수롭지 않게 잊거나 해결하지 않아도 되는 작은 것들이었습니다. 하지만 이번에는 달랐습니다. 안 된다는 생각을 한 번도 안 해봤기 때문이기도 했고, 제가 그 공부를 당연히 할 수 있으리라 생각했기 때문이었습니다.

이 생각은 어머니도 마찬가지셨습니다. 어머니와 저는 도저히 이해할 수 없었습니다. 결국 어머니는 학교에 가서 이의신청을 하셨습니다. 불합격을 받은 타당한 이유를 찾기 위해서였습니다.

대학에서 말하는 불합격의 이유는 단순했습니다. 면접에서 F를 받았다는 이유였습니다. 면접에서 점수를 나누고, 시험 점수를 통해 총 점수를 낸 뒤 합격, 불합격을 준다는 방식에서 아예 제외된다는 이야기였습니다.

어머니는 인정할 수 없었습니다. 도대체 어떤 이유로 면접에서 낙제점수를 받았는지 물었습니다. 저 또한 인정할 수 없기는 마찬가지였습니다. 그러자 학교에서 낙제점수의 이유를 밝혔습니다.

'수업 불능'

바로 이 이유가 제 불합격의 이유였습니다. 어린 나이였지만, 불공정하다는 건 단번에 알 수 있었습니다.

저는 또래에 비해 2년 늦게 학교에 들어갔지만 다른 학생들과 대등하게 학업을 이어나갔습니다. 그리고 나름 좋은 점수를 받아 원서를 넣게 되었습니다. 대학보다 더 많은 학생이 모여 있는 학급의 단체생활도 가능했고, 그 안에서 굳이 순위를 따지자면 상위권에 머물렀던 저에게 대체 '수업 불능'이라는 건 어떤 이유에서 온 것인지 쉽게 이해되지 않았습니다.

어머니께서 학교에 다시 말씀을 전한 덕에 학교 내에서 교수회의가 진행되었지만, 결과는 바뀌지 않았습니다. 많은 생각과 함께 큰 좌절감을 맛보게 되었습니다. 하지만 결과가 바뀌지 않는다는 사실을 다시 되뇌자 조금 마음이 편안해졌습니다. 그리고 며칠 뒤에는 다른 길이 있을 거라는 희망을 채웠습니다.

지금의 저는 늘 긍정을 무기로 하는데, 어릴 때도 마찬가지였습니다.

'세상에는 아직 모르는 일이 투성이니까 앞으로 더 재미있는 일을 찾으면 될 거야.'

그렇게 생각을 했습니다. 그 덕분에 지금의 일을 찾을

수 있게 된 걸 보니, 긍정의 힘은 대단하다는 걸 다시금 느낍니다.

다시 대학을 준비해야 했습니다. 그러다 우연히 언니가 친구 아버지께서 치기공과에 대해서 말씀하신 걸 듣고 집에 이야기를 했습니다. 저로서는 치기공과라는 걸 처음 알게 된 셈이었습니다. 치과라는 곳도 태어나서 한 번도 가지 않았을 때였으니 생소했을 수밖에요. 그건 어머니도 마찬가지셨습니다.

정보도 제대로 없던 치기공과, 그리고 정보가 빠르게 와닿지 않던 시골에서 어머니는 홀로 딸의 대학을 알아보셨습니다. 그리고 치기공과에 직접 연락하고 찾아가셔서 입학이 가능하니, 지원해도 좋다는 답변을 받았습니다.

저는 다음 해에 다시 시험을 치르고 원서를 넣었습니다. 그리고 원광보건대학 치기공과에 장학생으로 합격하게 됐습니다.

가끔 약학대에 실패했던 일을 생각하면 마음에서 화가 일어나곤 하다가 다시 평정심을 되찾고는 합니다. 실패를 바로 끌어안았기에 가능한 일이라고 믿고 있습니다. 그리고 어쩌면 이런 새로운 길을 살피게 해주려고 준 실패가 아니었을까 생각도 합니다.

약학대에 원서를 내고 면접을 보러 가는 도중에 치과대학 학생들을 만난 적이 있었습니다. 의학대학과 약학대학이 같은 날 면접을 진행했었나 봅니다. 당시 면접 보러 온 학생들을 안내하던 치과대 재학생들은 "어디 지원했어요?"라고 제게 물었습니다. 약학대를 지원해 면접을 보러 왔다는 말에, "치과대학으로 오시지 그러셨어요"라는 말을 전했었는데, 그때도 저는 치과대학, 치과, 치아라는 게 너무 생소해 한귀로 흘려들었던 적이 있었습니다.

그랬던 제가 지금은 치아 보철물을 만들고, 치대를 나온 치과의사들과 일을 주고받는다는 게 조금은 웃기기도 하고 신기하기도 합니다.

비장애인과 장애인의 기준을 나눠, 그 공부를 할 수 있는 학생에게 단지 장애인이라는 이유로 불합리한 기준 아래 둔다는 것은 지금으로선 상상할 수 없는 일이겠죠? 하지만 저는 그러한 시대를 넘기고 지금까지 살아오고 있습니다.

솔직하게 말하자면, 지금도 상상하고 싶지 않은 실패입

니다. 하지만 반대로 여전히 그 실패를 이길 수 있는 힘은 온전하게 그 실패를 안은 지금, 다른 길이 보였기 때문입니다. 그 때문에 마음을 어지럽게 만들고 싶지 않기도 합니다.

여러분들에게 수많은 실패가 있을지도 모릅니다. 이미 실패라는 많은 길을 건너온 분들도 계시리라 생각합니다. 하지만 되돌아봤을 때, 정말 후회와 상처만 남아있나요? 그렇지 않을 겁니다. 혹시 아직도 어떠한 후회와 실패의 상처가 남아있다면, 그것들을 온전하게 끌어안아보세요. 여러분들에게 또 다른 길을 열어 줄 하나의 방법이 될 것입니다.

여덟 번째 질문

학창 시절 추억을 기억하시나요?

학창 시절에 대한 추억을 간직하며 사는 사람들이 많을 것입니다. 우리가 처음 다양한 또래를 만나게 되는 곳이고, 꽤 오랜 시간 관계를 쌓는 곳이 바로 학교이기 때문입니다. 가족이 아닌 사람들과 사회성을 기르며 일반적인 교육을 받는 공간입니다. 당시에는 학교생활이 지루하게 흘러갔던 것만 같지만, 그곳을 떠나고 보면 얼마나 소중한 공간이었는지 깨닫게 됩니다.

제 번호는 항상 1번이었습니다. 지금은 학교에서 가나다 순서로 번호를 정한다고 하지만, 제가 학교에 다니던 시절에서는 키 순서대로 번호를 정했습니다. 새 학년에 올라가면 같은 반 학생들이 우루루 복도에 나와 나란히 서 있습니다. 그러면 선생님이 우리들의 키에 따라 앞뒤로 자리를 옮겨줍니다. 애매한 친구들끼리는 등을 마주하고 머리끝을 다시 세심하게 확인하는 게 새 학기마다 볼 수 있는 자연스러운 풍경이었습니다.

다들 눈치 채셨겠지만, 제가 1번이었던 이유는 키 때문입니다. 딱 한 해만 제외하고요. 중학교 3학년 때 저보다 키가 큰 친구가 자기는 꼭 1번을 해야 한다며 억지 아닌 억지(?)를 부려 2번으로 밀려난 적이 있었습니다. 그 해를 빼고는 1번은 제 담당이었습니다.

그 친구의 억지가 조금은 이해되기도 합니다. 제가 1번을 그만하고 싶었던 것처럼 그 친구는 그 사이의 번호를 받기 싫었던 게 아닐까 싶습니다. 저는 1번이 싫었지만, 키 순서대로 정해진 출석번호 1번을 마음대로 바꿀 수 없었습니다. 1번을 하고 싶다고 우겼던 친구처럼 한 번은 우겼으면 어땠을까 싶지만, 어느 순간 익숙해졌나 봅니다.

저는 대학생이 되어서야 1번의 꼬리표를 벗어날 수 있었습니다. 대학교는 키순서가 아니었으니까요. 엄청난 널뛰기를 한 번호, 71번이었습니다. 학생 유경, 만년 1번이었던 저에게 가장 궁금한 건 뒷자리였습니다. 수업시간에는 가끔 이런 생각도 들었습니다.

'키가 큰 친구들은 뒷자리에서 뭘 하고 있을까?'

아마 제가 한 번도 앉아본 적이 없어, 저와 다른 행동을 하고 있을 거라는 생각이 있었습니다. 그들도 앞자리와 똑같이 공부를 하고, 가끔 졸기도 했을 뿐이었을 텐데 말이죠.

많은 사람들이 학교 다니던 그 시절을 그리워하는 이유는 다양합니다. 큰 걱정과 고민 없이 뛰어 놀던 시간, 나와 관련된 번호 하나에 괜히 민감하게 반응하고, 선생님의 별거 아닌 말에도 얼굴이 붉어지던 나이에 대한 그리움일 겁니다. 그 나이에는 어렵고 힘든 건 많지 않았습니다. 내가 그 상황을 이해하고, 받아들이면 되는 정도의 어려움이었다는 걸 깨닫는 건 금방이었습니다.

학교를 다니던 그 시절, 무엇보다 즐거웠던 건 많은 활동들이었습니다. 소풍을 가거나, 함께 도시락을 먹고, 별거 아닌 이야기에도 이를 드러내고 웃었던 일들이 누구에게나 있습니다. 저는 특히나 수업시간을 좋아했습니다. 번호 덕분에 매일 앞자리에 앉아서 선생님 말에 경청을 해야 했지만, 매일 새로운 사실을 알게 된다는 게 기뻤습니다.

그중 미술시간도 마찬가지였습니다. 사물이며, 풍경을 보고 하얀 스케치북의 공간을 채워간다는 건 나름 고도의 집중력이 필요한 활동이었습니다. 서로가 같은 걸 보고 그려도 어찌나 다른 모습으로 스케치북에 그려져 있는지 모릅니다. 그렇게 서로의 시선이 다르다는 것을 알게 되는 게 아니었을까요?

음악시간은 하나하나의 목소리가 모여 또 다른 소리를 내고 있다는 사실을 알게 해주었습니다. 음악책 페이지마다 가지런히 누워있는 오선지, 그리고 그 위를 채우고 있는 음표들. 그 음표들이 어떤 소리와 박자를 갖고 있어, 우리에게 같은 음계를 알려주는 것도 신기하던 때가 있었습니다. 특히나 저는 어릴 적 어머니가 집안일을 하며 부르시던 가곡들이 음악책에 그대로 있다는 게 신기했습니다. 그 곡을 한 번도 접하지 않은 다른 친구들과 달리 단번에 그 노래를 부를 수 있었기에 더 즐거웠는지도 모릅니다. 10곡이 있다면, 그중 7~8곡은 전부 아는 노래였습니다. 피아노 건반 위 손가락의 움직임만으로도 교실 안에 따뜻한 공기가 가득 채워지곤 했습니다. 서로가 음을 맞추기 위해 악보를 보고 피아노를 소리에 맞춰 목소리를 낸다는 것, 그리고 노래를 부르지 않아도 여러 모양을 갖고 있는 음표를 그려보고 배운다는 재미도 좋았습니다.

이렇게 좋아하는 학교 수업에서도 제가 불편해하던 시간이 있었습니다. 바로 체육시간이었습니다. 체육은 몸을 움직여 활동하는 과목입니다. 하지만 저는 교실이나 운동장 안 그늘에 앉아있을 수밖에 없었습니다. 이런 와중에도 저는 제가 중요하게 생각하던 사실 하나를 떠올리고 되뇌었습니다.

'못하면 안 하면 되는 것이다.'

못하는 것까지 하려고 하기 보다는 할 수 있는 것, 즐길 수 있는 일을 하는 게 더 좋다고 생각합니다. 아무리 생각해보아도 체육은 분명 제가 할 수 없는 활동이었습니다. 그럼에도 불구하고 체육시간이 돌아오면 괜스레 마음이 무거워지고는 했습니다. 더운 여름에는 친구들이 힘들어 하며 제가 있는 곳을 한 번씩 흘끔거리는 것처럼 느껴지기도 했습니다. 하지만 내가 하지 못하는 걸 안하는 것이었으니 그렇게 실망스러운 일은 아니었던 겁니다. 다만 다른 사람들이 다 같이 활동하는 시간에 '함께할 수 없다' 는 사실에 가끔씩 불편한 마음이 들 뿐이었습니다.

요즘에는 고등학교 3학년이 되면 예체능을 빼고 수업을 진행한다고 들었습니다. 저는 듣고 놀랄 수밖에 없었습니다. 아이들이 가장 즐거워해야 하는 나이에 그 행복을 놓치고 있다는 것이 제 일처럼 아쉬울 뿐이었습니다. 물론 재미없게 느껴지거나 조금 뒤처지는 수업도 있었습니다. 하지만 그 시간마저 즐거운 이야기이자 추억이 되었다는 건 저 뿐만 아니라 누구나 다 인정하시리라 생각합니다.

추억이라는 건, 지나온 시간을 말하고 있습니다. 지나온 삶의 궤적을 따라 올라가면 닿는 추억은 늘 학생이었던 시절이었습니다.

사람에게는 견딜 수 있는 힘이 있다고 합니다. 저는 그걸 기억, 추억이라고 봅니다. 기억과 추억들이 있을 때, 그 삶의 어려움, 그 어려움 속에서 다시 희망을 볼 수 있는 게 아닐까 싶습니다. 추억을 한 번씩 되뇌면서 행복했던 그 시간으로 돌아가 보는 것, 이건 분명 여러분들에게 새로운 추억을 남기게 될 것입니다.

아홉 번째 질문

내 이름을 사랑하나요?

책 표지에도 나와 있지만, 제 이름은 '유경'입니다. 성이 '유'고 이름은 '경'입니다. 성도 한 글자고 이름도 한 글자. 보통 세 글자를 쓰는 것과는 다릅니다. 지금도 많이 흔하지 않지만 제가 어릴 때는 더더욱 찾기 어려웠습니다.

저는 초등학교를 6학년 한 학년만 다녔는데, 그때 기억으로 한 글자 이름이 우리 반에, 아니 학교 전체를 통틀어도 없었을 때였습니다. 선생님은 수업에 들어와 매번 출석을 부르셨는데, 친구들 이름을 호명할 땐 아무렇지 않다가도 내 이름 앞에서만 멈칫하는 순간이 있었습니다. 저는 선생님의 다른 행동을 늘 예민하게 받아들였습니다.

보통의 이름들은 석자로 돼있어서 운율을 타고 박자 맞추기도 좋은데 두 글자 이름은 달랐습니다. 선생님은 제 이름 앞에서 잠깐 시간을 두고 "유겨엉!"이라고 불렀습니다. 그건 매번 같은 방식이 아니었습니다. 어떨 때는 "유!"라고 부른 뒤 한 박자 쉬고 나서 "경"하는 식이었습니다. 가끔은 친절하게 내 이름 뒤에 "이"자를 붙여서 "유경이!"라고 부르기도 했습니다.

다른 이름과 달라 짧게 멈칫거리는 순간들이었지만, 저는 몇 시간 동안 선생님의 음성이 귀에서 떠나지 않았습니다. 어린 마음에 괜히 다른 친구들이 저만 쳐다보는 것만 같았습니다.

지금은 남들과 다른 제 이름을 소중하게 여기지만, 어릴 땐 한 글자로 이름을 지어준 어머니를 원망하기도 했습니다. 초등학교에 이어 중학교 때, 고등학교 때도 마찬가지였습니다. 선생님이 유난히 멈칫하며 나를 불렀던 날이면 어김없이 어머니에게 따져 물었습니다.

"엄마 왜 내 이름은 한 글자야?"

어머니의 대답은 아주 간단했습니다.

"예쁘잖아! 예뻐서 지은거야!"

그때마다 저는 속으로 생각했습니다. 처음 태어났을 때, 그러니까 아프기 전이라면 저도 제 이름을 더 빨리 사랑했을지도 모릅니다. 남들과 다른 신체만으로도 주변을 의식할 수밖에 없게 됐는데, 이름 하나 때문에 괜히 사람들에게 더 주목을 받고 있다는 생각이 들었습니다.

이름이라도 다른 사람과 같게, 어떤 특별한 게 없었다면 좋겠다고 자주 생각했습니다. 억울했지만 이름을 바꿀 수는 없었습니다. 이제와 보면 개명을 할 수도 있었겠지만, 그렇게 하지 않았다는 건 나름 '유경'이란 이름에 대해 어머니와 같은 생각을 했던 게 아닐까요?

유일하게 위로가 돼 준 한사람이 있기는 합니다. 언니입니다. 언니 이름은 '유영'입니다. 저와 같은 한 글자 이름이었습니다. 그래도 언니는 학교에서 출석을 부를 때만 유영으로 불렀고 아명이 따로 있어서 집에서나 친척, 친구들은 유혜영이라고 불렀습니다. 위로가 되다가도 결국 나 혼자만 아명도 없이 한 글자 이름으로 지낼 수밖에 없었습니다.

더 어릴 땐, 어머니가 몰래 다른 곳에서 저를 데려다 키운 게 아닐까 하는 생각도 했습니다. 괜히 마음속으로 심술을 부리던 날에는 '이름이 3분의 2라서 몸도 3분의 2가 아닐까' 하는 엉뚱한 생각이 들 정도로 이름이 마음에 들지 않았습니다.

대학교 1학년 때였습니다. 길을 걷다 빨간 도장을 주웠습니다. 작은 도장인데 뚜껑은 어디로 사라졌는지 없는 상태였습니다. 마침 쓰고 있던 나무도장이 마음에 들지 않았던 터라 '내 도장으로 쓰면 좋겠다'는 생각을 했습니다. 이리저리 도장을 살펴보니 새끼손가락보다 작은 빨간 도장에 무척이나 마음이 끌렸습니다. 남들은 큰 게 좋다고 하던데, 왜 그렇게 작은 물건에 자주 눈길을 빼앗겼던지 모르겠습니다.

저는 그 도장을 들고 학교 앞 도장집으로 향했습니다. 도장집 할아버지는 날이 좁은 칼을 잡고 돋보기를 낀 채, 열심히 도장을 파고 계셨습니다. 저는 도장을 할아버지 곁으로 밀어 보이며 말했습니다.

"할아버지, 이 글씨 밀어버리고 제 이름으로 새겨주세요."

할아버지는 메모지를 건네며 제 이름을 쓰라고 하셨습니다. 저는 또박또박 제 이름을 썼습니다.

'유.경'

메모지를 든 할아버지는 눈을 가늘게 뜨더니 저를 향해 메모지를 다시 건넸습니다.

"아니 이름 쓰랬다고 이름만 쓰면 어떡해. 성도 써야지!"
"제 성은 유예요. 할아버지, 이게 제 이름이에요!"
"그럼 이름이 외자야?"
"네! 얼마예요?"

할아버지는 잠깐 안경을 치켜 올리더니 생각하시는 것 같았습니다. 그리고 잠시 후 말씀하셨습니다.

"음…. 세 글자는 2천 원인데 두 글자니까 천 원만 내."

이름이 짧으니 원래 값의 절반만 내라고 하셨습니다. 우연히 주운 마음에 드는 도장 하나로 기분이 좋아졌는데, 이름 덕분에 더 싸게 도장을 팔 수 있었습니다.

아마 제 기억이 맞다면, 이날은 제 이름으로 덕을 본 첫 날이었습니다. 아니, 이익을 본 날이 더 맞는 표현일지도 모르겠습니다.

그날 만든 도장을 아직도 제 인감 도장으로 쓰고 있습니다. 어느 새 30년이라는 시간이 흘렀지만, 잃어버리지 않고 묵묵하게 제 이름 옆을 채워주고 있습니다. 얼마나 정이 가는지 출판사에 도장을 책표지에 넣어달라고 부탁까지 할 정도였습니다.

제 이름을 좋아하기 시작한 건 이때부터이지 않을까 싶습니다. 희한한 일이지만 어릴 적 기분 나쁘게 생각되던 두 글자 이름이 더 많은 즐거움을 들고 올 것만 같은 기분이 들었습니다.

창업하려고 마음먹고 회사 이름을 고민할 때였습니다. 어머니가 한마디 하셨습니다.

"뭘 고민해? 예쁜 네 이름이 있는데! 네 이름 좋잖아! '유경덴탈' 어때? 좋기만 하구만!"

그렇게 회사 이름은 '유경덴탈워크'로 지어졌고, 지금까지 사용하고 있습니다.

어릴 적엔 한 글자 이름을 지어준 어머니에게 괜한 심술을 쏟아내기도 했지만, 지금은 회사 이름으로 쓸 정도로 예쁘게 지어주신 게 감사하기만 합니다. 새삼스럽게 30년 전에 제 도장을 천 원에 파준 그 할아버지께도 감사드립니다. 할아버지가 살아계신다면 아마 백 살은 되시지 않았을까 싶습니다.

사람들의 이름 종류는 얼마나 될까요? 같은 이름이 많다고 해도 이름의 수는 엄청날 것입니다. 그리고 그 이름에는 다양한 뜻이 담겨있습니다. 그리고 한 가지 사실은 분명합니다. 이름을 지은 사람이 누구든, 상대에게 이름을 지어줄 때 오래 행복하길 바라는 마음이 들어가 있다는 것입니다. 그 누구도 이 사실을 부정할 수 없을 것입니다.

제 이름을 내걸고 사업하니 거래처들과 치과들도 저와 회사 이름을 쉽게 기억해줍니다. 회사 이름도 유경이고 회사 대표인 제 이름도 유경이니 당연히 쉽겠죠? 그만큼 책임감도 커졌습니다. 스스로를 돌아보기 전에 각자의 이름을 사랑하는 시간도 필요하다고 생각합니다. 그건 곧 나 자신을 받아들이고 사랑하는 시간이 될 테니 말입니다.

열 번째 질문

배우는 것과 실행하는 것의 차이는 무엇일까요?

치기공과에 막 입학했을 때입니다. 강의실 의자에 멀뚱멀뚱 앉아서는 대체 치기공과가 어떤 일을 하는 건지 상상만 하고 있었습니다. 지금까지 배웠던 것과 완벽하게 다른 걸 배운다는 건 겁이 나는 일처럼 느껴지기도 했습니다.

'내가 잘할 수 있을까?'

치아라는 걸 제대로 들여다본 적도 없는 저는, 치아의 형태부터 차근차근 배워야 했습니다. 저뿐만 아니라 같은 강의실에 있는 동기 전부가 마찬가지였습니다. 설명을 듣고 있지만, 알쏭달쏭한 얼굴을 하고 있었습니다. 하지만 자신이 선택한 공부라는 건 다른 의지를 만들어주기도 합니다. 고등학교까지의 교육에서 벗어나, 차츰 대학 교육에 적응하면서 이론을 머릿속에 넣었습니다.

어느 정도 이론이 잡히면 곧바로 실습시간이 이어졌습니다. 이론으로만 배운 치아의 형태를 직접 살펴볼 뿐만 아니라, 점차 보철물을 만드는 과정까지 이어나갔습니다.

저는 어릴 적 집에 홀로 있을 때마다, 무언가 만지면서 시간을 때우고는 했습니다. 그건 손바닥만 한 종이를 접는 일이거나, 흙이나 모래를 두고 노는 일이었습니다. 그래서 그런건지 나름 손재주가 있었습니다. 덕분에 다양한 실습을 어렵지 않게 할 수 있었습니다.

어느 곳이든 배울 것이 있다고 했던 말이 기억나시나요? 대학에서도 많은 것을 보고 배울 수 있었습니다. 무엇보다 제가 사회에 나가기 전에 쌓아야 할, 자립을 위한 공부였습니다.

배우는 것에 대한 재미에 푹 빠져있으면서도 심리적 갈등을 느끼기도 했습니다. 바로 남과 비교하게 되는 우리의 안 좋은 버릇 때문이었습니다.

사회는 나 혼자만 사는 곳이 아닙니다. 덕분에 좋은 기운을 주변을 통해 받기도 합니다. 그러나 반대로 상대방과 나 사이에서 거리감을 느끼면서 스스로를 자책하게 되는 경우가 생기는데, 대학시절의 저에게는 또 다른 갈등이 한 번씩 저를 덮치고 있었습니다.

바로 대학의 차이였습니다. 저와 같은 고등학교를 다니던 친구들은 대부분이 4년제 대학에 입학했습니다. 저는 전문대학을 다녔는데, 주변에서 제가 다니는 대학이나 공부에 대해서 얕보는 투의 말을 듣는 경우가 종종 생겼습니다.

'학교 다닐 땐 내가 더 공부를 잘했는데…….'

그때마다 이런 상념에 빠지곤 했습니다. 그리고 자연스럽게 억울하다는 마음까지 생겨났습니다. 그깟 2년이 뭐 길래 이렇게 스스로 불행하다는 착각에 빠지게 만드는 걸까 싶었습니다. 하지만 중요한 건, 그게 말 그대로 착각이었다는 것입니다. 착각이라는 건, 실제와 다르다고 '잠깐' 생각하는 것일 뿐입니다. 그 잠깐의 시간이 지나면 대부분 다시, 당시를 착각이라고 명명할 수 있게 되는 것입니다.

저는 다시 마음을 추스르고 제 공부를 시작했습니다. 요즘 치기공과는 학과 특성상 3년에 걸쳐 공부한다고 하는데, 제가 다니던 때는 모든 걸 2년 안에 끝내야 했습니다. 그리고 방학마다 점수보다 더 중요한 일이 돌아왔습니다. 치과기공소에 가서 직접 실습을 하는 것이었습니다.

1학년 겨울 방학 때 처음으로 실습을 나가 일을 했습니다. 잔일을 도와주고 청소하고 하는 식이었지만, 직원보다 느슨하게 하는 법은 없었습니다. 사실 그보다 더 중요한 건, 직접 실습을 하면서 실력을 키워야 하는데, 내부 직원들과 학생들은 믿지 못하겠다며 제대로 된 일거리를 주지 않았습니다. 간혹 작은 일을 하나씩 시켜주면 스스로 '선택' 받은 기분을 느끼기도 했습니다.

당시 실습을 나갔던 치과기공소 소장님은 은퇴를 했는데 아직도 알고 지내는 사이로 남아있습니다. 그만큼 실습생 자격으로 온 저를 살뜰하게 챙겨주시며, 하나라도 더 많은 것을 알려주시려 했습니다. 가끔 직원들의 시샘을 받기도 했습니다. 조금이라도 실수를 하면, "학교 나온 것들은 아무 것도 모른다"라며 무안을 주었습니다. 그래서인지 실습생이 울면서 치과기공소를 뛰어나가는 일도 허다했습니다. 하지만 저는 그러지 않았습니다. 한쪽 귀로 듣고 한쪽 귀로 내보내고, 열심히 실력을 쌓아갔습니다.

그렇게 눈 깜빡하는 사이에 졸업이 다가왔습니다. 졸업식 전에 저희에게 더 중요한 게 남아있었습니다. 바로 국가고시 시험을 치르는 것이었습니다. 예전에는 1차는 이론시험, 2차는 실습을 하는 식으로 점수를 내는 식이었습니다. 저는 합격했고, 곧바로 취직을 알아봤습니다.

사실 치과기공소에 취직하기는 어려웠습니다. 워낙 작게 운영되는 곳이 많았고, 무엇보다 저는 다리가 불편하니 자신감이 떨어질 수밖에 없었습니다. 그러다 운 좋게 면접에 합격하고 수습자 명분으로 3개월 일을 할 곳을 찾게 됐습니다.

지금으로 따지면 인턴직으로 3개월 동안 월급을 받지 않는 생활을 시작하게 됐지만, 모두 당연하게 여기는 분위기이기도 했고 일을 할 수 있다는 게 더 큰 일이라고 생각해 집에서 용돈을 받으면서 출근을 시작했습니다.

집이 있는 신태인에서 정읍까지 꽤 먼 거리였지만, 어떻게든 3개월을 채우고 보수 받는 직장인이 되고 싶었습니다. 그렇게 3개월을 채우고, 전주에 있는 치과기공소에 정식 입사를 할 수 있었습니다.

처음 맡은 역할은 어시스트였습니다. 어딜 가나 마찬가지겠지만, 초보에게 일을 맡기는 곳은 어디도 없습니다. 옆에서 선배가 하는 일을 바라보며 눈치 빠르게 보조를 하고, 어쩌다 일이 생기면 하는 식이었습니다. 대학 때 실습과 별반 달라 보이지 않았습니다. 하지만 그땐 어디까지나 실습생의 위치였습니다. 월급을 받는 지원이었고, 그 자리를 유지하기 위해서는 제 실력이 나아져야 했습니다.

그런 제 속을 아는지 모르는지, 선배는 매번 나에게 무엇을 시킬 수 있을지 고민하는 것 같았습니다. 내가 할 수 있는 일은 나 스스로가 만드는 것입니다. 저는 선배에게 나도 무언가 일을 할 수 있다는 걸 보여주고 싶었습니다.

매일 아침 일찍 회사에 도착해, 선배가 곧바로 일을 시작할 수 있도록 자리를 정리했습니다. 필요한 도구를 손에 잡기 좋은 곳에 두고, 오늘의 스케줄을 점검해 미리 알려드렸습니다.

학교에서 2년 동안 배웠고, 3개월 동안 직접 봐 온 일이기에 눈치를 살피며 그렇게 며칠 동안 '지금 하는 일이 내가 할 일이다'라는 생각으로 꾸준히 했습니다. 그러자 선배의 마음이 움직이는 게 보였습니다. 그 전에는 그저 걱정스런 표정으로 저를 바라봤지만, 표정이 부드러워지고 일을 하나씩 시키기 시작했습니다. 그리고 점점 일의 영역을 확대해나갔습니다.

저는 2년 동안 대학에 다녔고, 첫 직장에서 7년 동안 일했습니다. 그 사이 동생들의 학비를 내줄 정도가 되었고, 이렇게 회사에 제 이름을 걸게 되었습니다.

중학교와 고등학교는 사람들과의 관계와 공부에 대해서 고민하는 시간이었다면 대학과 첫 직장의 경우는 우리집 가훈과도 같은 자립을 위한 시간이었습니다. 매일이 즐거운 시간이라는 건 사실 거짓말과 같습니다. 분명, 슬픈 일도 상처 받는 일도 있었을 겁니다. 하지만 내일은 즐거울 거라고 생각하면서 그 시간들을 보냈습니다.

배우는 것, 그 배움을 넘어서 실행하는 시간을 기다렸기에 가능한 일이었습니다. 배우는 일과 그 배움을 실행으로 옮기는 것에는 결국 차이가 없습니다. 더 앞서있는 것을 준비하는 중요한 시간이니까요.

거꾸로

걷는

CEO

28 29 30 31 32 33
27
26
25
24
23
17 18 19 20 21 22
16
14
13
12
6 7 8 9 10 11
5
4
3
2
1

열한 번째 질문

필요한 자격증을 갖고 있나요?

요즘 신문이나 뉴스를 보면, 바쁘게 취직 준비를 하는 청년들을 볼 수 있습니다. 현대사회는 여전히 개인에게 많은 것들을 요구하고 있고 그에 맞추기 위해서 전부 일사불란하게 움직입니다.

어떤 사회의 구성원으로 살기 위해 자격증이 요구되는 시대라니, 조금은 슬픈 마음이 들기도 합니다. 하지만 그래도 저는 어떤 자격증은 매우 필요하다고 생각합니다. 바로 '본인 스스로가 배워서 하고 싶은 일, 혹은 필요하다고 느끼는 자격증' 이라면 노력을 해야 하는 부분입니다.

저도 어떤 자격증을 따기 위해서 무던히 노력을 한 적이 있습니다. 바로 운전면허입니다. 치과기공사 자격증 같은 경우에는 필기와 실기 전부 어렵지 않았습니다. 대학에서 배웠던 내용이었고 자립하기 위해서는 당연히 노력해야 했던 일이었습니다. 하지만 운전면허는 전혀 달랐습니다.

지금의 운전면허 시험은 굉장히 간소화 되었다고 알고 있습니다. 당시는 도로주행 전, 장내주행에서 많은 사람이 떨어질 정도로 다양한 시험을 치러야 했습니다. 게다가 저는 다른 사람들과 같은 시험을 볼 수 없었습니다. 오로지 손으로만 운전을 해야 했으니, 그에 맞는 시험을 봐야 했습니다.

문제는 여기서 시작됐습니다. 당시 장애인용 차량이 많지 않았으니 어디에서 운전면허 연습을 해야 할지 난감했습니다.

'이렇게까지 힘들 게 면허를 따야 할까?'

의문이 들던 찰나, 제가 왜 면허를 따려고 마음먹었는지 곰곰이 떠올려봤습니다. 우선 버스를 타고 출퇴근을 해왔는데 여간 불편한 일이 아니었습니다. 그리고 택시는 더더욱 그러했습니다. 지금이야 선입견과 차별이 줄어들어 있지만, 당시에는 제가 택시를 타기 위해서는 거의 부탁해야 할 정도였습니다. 날씨가 좋지 않은 날에는 조금 움직이는 게 여간 어려운 일이 아닐 수 없었습니다.

운전을 한다는 것도 쉽게 여길 일은 아니었습니다. 그러던 어느 날이었습니다. 무심하게 신문을 읽는데 눈에 띄는 기사거리가 있었습니다.

'오토 면허! 장애인도 딸 수 있다.'

속으로 쾌재를 불렀습니다. 그러나 앞서 말했듯 어디에서든 딸 수 있는 건 아니었습니다. 특히나 지방에서는 더 큰 도시로 나가야만 했습니다. 어떻게 해야 할지 몰라 하며 며칠을 고민하기도 했습니다. 그러나 불편이 더 커지기 전에 편한 방법이 있다면, 시도해 볼만했습니다.

'그래도 우선 실기를 볼 수 있도록 준비를 해두면 길은

있겠지.'

그 길로 바로 운전면허 필기시험을 위해 운동능력시험을 받았습니다. 발을 대신해 손을 쓸 수 있다는 걸 입증하는 신체검사였습니다. 일반인보다 몇 가지 검사가 더 있었지만, 문제는 없었습니다. 다만 광주광역시까지 가야만 가능했습니다. 광주에서만 그 시험을 볼 수 있다는 게 가장 큰 어려움이었지만, 곧바로 필기시험을 보고 무리 없이 합격했습니다.

연습은 마찬가지로 어려웠습니다. 전주 운전면허 시험장에 장애인용 차가 있어 시험을 볼 수는 있었지만. 연습은 광주에만 가능했습니다. 거리상 가깝지도 않았고 직업 특성상 일이 많다 보니 연습할 수 있는 시간이 적었습니다.

'이렇게 연습하다가는 떨어질 것 같은데, 차라리 포기할까?'

가끔 이런 마음이 들기도 했지만, 택시를 탈 때마다 눈치를 받는 걸 더 이상 참을 수 없었습니다. 어차피 제가 움직여서 그 불편함을 지워내는 게 최상의 선택이었습니다.

광주로 연습을 가야 하는 날은 전날부터 밤을 꼬박 새

워 일했습니다. 해야 할 일을 미룰 수가 없었으니, 어쩔 수 없었습니다. 그렇게 피곤한 몸을 이끌고 광주로 가 연습을 몇 번했지만, 시험 결과는 참담했습니다.

코스에서 4번, 주행에서 3번. 7번이나 떨어졌습니다. 더 이상 어떻게 해야 할지 몰라 하던 찰나, 하늘에서 제 마음을 읽었는지 방법이 생겼습니다. 생활정보지에서 운전면허를 따로 알려주겠다는 글을 발견했던 것입니다. 그렇게 다시 연습을 시작하고 8번째 시험에서 합격할 수 있었습니다. 시험을 볼 때마다 도장을 찍어주었는데, 그 열 칸을 다 채울까봐 겁내던 저에겐 조금 이른 합격이었는지도 모릅니다.

매번 시험에서 높은 점수만 받았던 저에게 운전면허는 가장 어려운 시험으로 남아있습니다. 제 얼굴이 있는 면허증을 보자, 불편함에서 해방되는 기분이 들었습니다. 이제 바로 차를 사러 달려가기만 하면 끝이 날 것만 같았습니다.

제가 타는 차는 조금 특별합니다. 핸들 왼쪽에 브레이크와 엑셀이 스틱으로 있습니다. 저의 맞춤형 자동차입니다.

그렇게 어렵게 딴 면허를 들고 바로 다음 달에 차를 사러 갔습니다. 제 생애 첫 차였습니다. 차를 살 때 장애인용으로 맞춰서 사야 했기 때문에 고르기 어렵기도 했고, 그렇게 고른 첫 차가 자주 고장이 나서 고생하기도 했습니다.

하지만 저는 그 어려운 일들이 이렇게 큰 편안함을 주기 위한 하나의 과정이었다고 생각합니다. 다른 분들에게 차가 어떤 의미일지 모르겠지만, 저에게는 아주 특별합니다. 우선 시간의 구애를 받지 않습니다. 일이 많은 날에는 그날에 더 많은 양을 끝내야 다음 날의 작업을 여유롭게 진행할 수 있는데, 막차 시간에 쫓겨 그대로 두고 나와야 할 때가 많았습니다. 하지만 차가 있다면 막차 시간에 영향을 받지 않았습니다.

그리고 무엇보다 좋았던 건, 처음 제가 차가 필요하다고 생각했던 것처럼, 불편한 일을 겪지 않아도 된다는 것이었습니다. 제 돈을 주고 택시를 타면서, 부탁을 해야 하는 일들이 생기지 않는다는 거였습니다.

길게 뻗은 차를 보면 밥을 안 먹어도 배가 불렀습니다. 사실 처음에는 도로에 나가기가 무서워 회사에 세워둔 채 집에 간 적도 있었습니다. 그리고 차를 얻기 전까지 금전적으로 어려움이 생기기도 했습니다.

차를 사는 데 600만 원이라는 큰돈이 들었습니다. 모은 돈으로 사기에는 무리가 있어 할부로 샀는데, 이게 웬걸, 세금과 보험으로 200만 원이 더 필요했습니다. 고민을 하다, 결국 아버지에게 갔습니다.

"아버지, 저 차를 사려고 하는데 돈 좀 빌려주세요."

아버지의 눈이 엄청 커졌습니다.

"유경이 네가? 차를? 안 된다. 차가 얼마나 위험한데 그래!"

그렇게 아버지를 설득하지 못한 채, 겨우 친구에게 돈을 빌려서 세금과 보험비를 냈습니다. 이렇게 어렵게 제 손에 들어온 차였으니 보고만 있어도 배가 부를 수밖에 없었습니다.

면허를 따기는 했지만, 운전하는 건 여간 어려운 일이 아닐 수 없었습니다. 도로에서 저를 향해 클랙슨을 울려대는 차들이 무서운 것도 문제였지만, 앉은키도 마찬가지였습니다. 저는 운전면허 시험 연습을 할 때 만들어 두었던 방석을 제 차에 가져왔습니다.

아무리 의자를 앞으로 당겨도 앉은키가 작으니 앞이 잘 안 보일 수밖에 없었습니다. 그러니 제 키를 올려줄 저만의 방석이 필요했습니다. 그건 제가 직접 스티로폼을 잘라 만든 방석이었습니다. 일반 방석으로는 제 작은 키를 운전할 정도로 만들어 줄 수 없었습니다. 나중에는 나달나달 거려 다시 만들어야 했지만, 그게 없었다면 운전은 꿈도 못 꿀 일이었을지도 모릅니다.

운전을 하지 못해 매번 차를 보고만 있는 저를 안쓰럽게 생각하신건지 소장님이 겨우겨우 운전을 알려주시고 몇 번 더 도로에 나가게 되자, 운전 실력이 부쩍 늘어났습니다. 그 때부터는 또 다른 자유가 시작됐습니다.

그동안 움직이는 게 불편해서 가지 못했던 곳으로 운전해서 갔습니다. 그곳에서 많은 것을 보고 들으면서 내가 알던 세상이 그대로인지 아니면 바뀐 건지 의아하기도 했습니다. 그만큼 세상에는 제가 아직 보지 못했던 풍경이 많았습니다. 처음 제주도에 갔을 때의 기분과 비슷하다고 한다면 이해가 될까요?

다른 사람보다 유난스럽게 차를 사랑할 수밖에 없는

이유가 참 많아서였는지, 도로에서 예쁜 자동차, 새로 나온 자동차를 보면, 그냥 지나치지 못했습니다. 분명 가야 하는 곳이 있어도 그 차를 졸졸 쫓아갔습니다. 그리고 마음속으로 매번 '다음에는 저 차를 사야지' 하고 생각했습니다. 제 이런 자동차 사랑 때문인지, 차는 계속해서 바뀌었습니다. 차를 바꿔가며 타는 건 제 행복이 되었습니다.

이렇게 길게 자동차 이야기를 했지만, 사실 저는 어렵게 딴 운전면허가 가져다준 변화를 말하고 싶었습니다.

자격증이라는 건 나에게 필요한 것인지를 따져야 합니다. 나를 변화시킬 수 있는지, 나에게 즐거움을 줄 수 있는지 말입니다. 그저 점수를 올리기 위해 급급하게 어떤 자격증을 공부하는 건, 목표를 잃게 만들기 마련입니다.

다양한 자격증을 땄지만, 정말 소중하다고 생각하는 자격증, 제일 먼저 생각나는 자격증이 운전면허증이라고 하면, 다들 "고작?"이라고 합니다. 하지만 제 삶에서 한 부분을 변화시켰던 건, 운전 면허증이었습니다.

정말 내 자리에서 필요한 게 어떤 것일지, 다시 한번 생각해보면 좋겠습니다. 어쩌면 지금 아등바등하며 원하는 그 점수와 목표는, 본인이 세운 게 아닌 그저 세상의 규칙에 의해서 생겨났을지도 모르니까요. 크든 작든 정말 스스로에게 필요한 것을 생각해보는 게 어떨까요?

열두 번째 질문

여행은 무엇을 남길 수 있을까요?

여행이라는 건 얼마나 설렘이 가득한 일일까요. 그렇게 느끼지 않는 사람도 있다는 걸 압니다. 하지만 대부분 여행을 떠올리면, 낯선 곳으로의 움직임. 그리고 그곳에서의 휴식을 통해 많은 것들을 얻는다고 합니다. 저 역시도 그러했습니다.

저는 생각보다 자주 여행을 갔습니다. 불편한 몸으로 어떻게 여행을 다녔냐고 묻는 사람들이 많지만, 마음만 먹는다면 결코 어려운 일은 아닙니다. 무엇이든 어떻게 생각하느냐에 따라서 문제가 되고, 안 되기도 한다는 말이 진짜라는 걸 저 자신을 되돌아보며 느끼곤 합니다.

보통 사람들은 제가 여행을 간다고 하면, 이렇게 묻습니다.

"어떻게 따라가시게요?"

하지만 이 질문은 질문 자체가 성립되지 않습니다. 저는 한 번도 여행을 따라 간 적이 없기 때문입니다.

저는 그때마다 이렇게 말하곤 합니다.

"따라 간 게 아니라, 제가 가려고 나서는 여행이에요."

사람들이 우려하는 것들이 사실이기는 합니다. 제가 누군가와 함께 여행을 간다는 건 굉장히 어려운 일입니다. 움직임이 많을 때 다른 사람보다 체력적으로 힘든 것도 있지만, 주변 사람에게 민폐를 끼치는 게 아닐까 하는 마음이 있을 수밖에 없었습니다.

그러나 직접 마주하지 않으면 모를 일입니다. 막상 여행을 떠나면서 느끼게 된 건, 그건 어디까지나 제 생각일 뿐이었다는 것입니다. 사람은 우리의 생각보다 더 상대를 배려하고, 도와주려는 마음을 가진 존재입니다.

사람들은 저마다의 단점이 있고 주변 사람들은 상대의 단점이나 어려움을 들춰내고 피하는 게 아닌, 도와주려는 마음이 있습니다. 그리고 약간만 배려한다면 상대가 어려움을 극복할 수 있도록 도울 수 있기도 합니다.

저는 그 덕분에 자주 돌아다니면서 다양한 곳의 풍경을 즐길 수 있었습니다. 자동차 면허가 생기고 나서는 후배들과 함께 제주도에 가기도 했습니다. 배에 자동차를 싣고, 그 자동차로 제주도 곳곳을 돌아다녔습니다. 제주도에서는 제가 후배들의 발이 되어준 셈입니다.

가족 여행 말고도 다양한 모임 활동에서도 나들이는 매해 필수인 것처럼 이어졌습니다. 처음 나들이 장소를 정할 땐, 제가 우선이지 않습니다. 회원들은 가봤던 곳과 가보고 싶은 곳들을 추천하며 장소를 정합니다. 다리가 불편한 제가 동행한다는 것을 아예 신경도 쓰지 않습니다. 저도 그게 더 편하고 좋습니다. 제가 있다는 이유로 여행지를 신경 쓰게 하고 싶지는 않으니까요. 졸업여행으로 처음 갔던 제주도부터 시작해서 서울투어, 그리고 마카오와 홍콩, 심천, 상하이까지. 사실 가볼만한 곳은 다 돌아본 셈입니다.

저도 처음부터 여행이 편했던 건 아닙니다. 그리고 모임에 따라 불편한 마음이 우선인 곳도 있습니다. 어느 모임에서 제주도에 가기로 결정을 했을 때였습니다. 서먹한 사이의 사람도 몇 명 있어서 안 가겠다고 했습니다. 민폐를 끼칠 것 같다는 생각이 앞섰습니다.

그러자 같은 모임 분들은 바쁜 일도 미루고 다함께 가는 것이니 꼭 참석하라며 성화였습니다. 안 갈 수 없게 된 분위기도 한몫을 했지만, 무엇보다 늘 어느 여행이든 따라나섰던 제 자신을 다시 발견하게 됐습니다.

제주공항에 도착해서부터 휠체어를 빌렸고, 그들과 함께 여러 곳을 돌아다녔습니다. 제주도가 처음은 아니었지만, 어떤 사람과 오느냐에 따라 늘 다른 느낌을 받기 마련입니다. 그렇게 그날 함께한 모임 사람들과 또 다른 추억을 제주도 곳곳에 심어두고 돌아왔습니다.

어떤 모임에서 그 어떤 활동을 한다 해도 무조건 적극적으로 참여해야 합니다. 그래야 남는 것이 더 많습니다. 물론 그게 본인에게 도움이 된다는 확신이 있어야겠지만, 제가 지금까지 길다면 길고, 짧다면 짧게 살아본 세상은 "웬만해선 그 어떤 경험도 도움이 된다"입니다. 그중 여행은 더더욱 '특별한 경험'을 선물해주기도 합니다.

국내를 돌아다니면서 해외여행도 다니게 됐는데, 첫 해외여행은 가족들과 함께한 여행이었습니다. 저희 육남매와 부모님, 그리고 조카들까지 스무 명이나 되는 인원이 함께 해외로 떠나게 됐습니다. 워낙 인원이 많기 때문에 여행사를 통해 단체 여행을 잡았습니다. 그렇게 태국에 도착하자, 가이드가 제일 놀랐습니다.

"가족끼리 단체로 오는 경우가 워낙에 많지만, 한 가족이 이렇게 많은 건 처음이네요."

생각보다 오래전 일이라 저도 기억이 가물가물한데, 조카들은 아직도 그 여행을 기억하고 있습니다.

"우리 그때가 제일 재미있었던 것 같아요. 고모! 우리 또 언제 가요?"

매번 이렇게 물어대는 통에 언제 다시 일정을 잡아야 할지 고민을 하게 됩니다. 저도 물론 즐거웠지만, 부모님도 처음으로 가신 해외여행의 매력에 빠져 얼굴에서 미소가 떠나지 않았습니다.

조카들의 말을 들을 때마다, 그리고 자연스럽게 떠올려지는 태국의 배경과 그 배경 위 부모님의 미소를 생각하면, 여행을 누구와 함께 가는 게 얼마나 중요한지 다시금 깨닫게 됩니다.

우리 가족은 태국의 사원, 산호섬 등 여러 곳을 돌아다녔습니다. 바닷가에 앉아 우리나라와 다른 바다색을 바라보고, 수영을 하기도 했습니다. 에메랄드빛 바다 아래에는 헤엄치는 물고기가 보일 정도로 맑았습니다. 해외에 자주 나간 사람에게는 별거 아니겠지만, 저는 해외에서 본 우리나라 식품들도 재미있는 눈요기가 되었습니다.

더운 날씨에 타국에서 여러 장소로 움직인다는 게 어려웠지만, 가족들과 함께였기 때문에 용기를 낼 수 있었던 것 같습니다.

제가 처음 해외여행에 도전한 게 고작 10년도 안 된 일이니, 의아하실 수도 있습니다. 움직이는 여행을 두려워하지 않았으면서 왜 해외여행은 늦었느냐고 묻는 분들도 있었습니다. 그저 거리가 멀어서였을까요? 아니었습니다.

저도 우리나라가 아닌 다른 곳에 대한 궁금증이 똑같이 있었고 가고 싶은 마음도 있었습니다. 다만 '해외여행 결격 사유자'에 제가 포함되어 있다고 생각했습니다.

'아 나는 외국에 못 가나 보다…….'

조금 웃기기도 하겠지만, 제약된 움직임으로 세상을 살다보니 해외여행 결격자에 당연히 제가 포함되었을 거라고만 알고 있었던 것입니다. 알고 보니, 여권상의 문제 혹은 범죄 기록 등의 문제라는 걸 아주 나중에 알게 되었습니다. 그렇게 40대가 되어서야 비행기라는 걸 처음 타봤습니다.

창밖에 보이는 작은 집들을 보자 신기했습니다. 그때까지 제주도에 가도 배를 타고 다녔으니, 어린 조카들만큼이나 하늘이 아름다워 보일 수밖에 없었습니다.

해외여행도 국내여행처럼 어려운 일은 없었지만, 한 가지 큰 어려움이 있기는 했습니다. 바로 공항이 너무 크다는 이유였습니다. 태어나서 처음 가는 인천공항은 가도 가도 끝이 없어 보였습니다. 그래도 난생 처음 간 해외여행은 그렇게 힘들지만은 않았습니다. 오히려 힘든 만큼 기쁨이 따라왔습니다.

이후로도 해외에 자주 나갈 수 있었던 건, 첫 해외여행이 편안한 가족들과 함께라서 두려움이 싹 사라졌기에 가능했던게 아닐까 싶습니다.

여행의 기본은 '함께' 입니다. 혼자 가더라도 그곳에서 누군가와 함께하는 시간이 생길 수 있고, 오로지 나 혼자 즐기는 자아 여행일 수도 있습니다.

현대인은 너무 많은 감정을 소모하고, 그 소모되는 감정 속에서 자신을 회복시키는 일은 혼자의 시간을 기르는 거라고 얘기하기도 합니다. 하지만 혼자의 시간을 기르는 법만큼 중요한 건 서로, 함께하는 삶입니다.

'함께' 라는 말은 그 어떤 어려운 일들도 이길 수 있게 해줍니다. 제가 처음 걷게 됐을 때도 누군가와 함께였고, 회사를 다니게 된 것, 그리고 회사를 차리고 이끌 수 있게 된 일 모두 혼자라면 어려웠을 일입니다. 또한 제가 그들에게 함께할 수 있는 존재가 되는 것만큼 기쁜 일이 어디 있을까요. 누군가와 함께 이야기를 하고, 걸을 수 있는 것. 여행에서는 이 모든 것을 할 수 있습니다.

열세 번째 질문

또 다른 필요함을 생각해보신 적이 있나요?

오랜 시간 치과기공소 일을 하면서, 제가 더 할 수 있는 일에 대해서 생각했습니다.

'에휴, 지금하는 일도 이렇게 많은데 어떻게 또 새로운 일을 해?'

이러한 생각을 하면서 '새로운 것'에 대해 차츰 지워나갈 때도 있었습니다. 그러다 문득 더 할 수 있는 일은 결코 새로운 일이 아니란 걸 깨달았습니다.

'아니지. 지금 하는 일과 연관된 새로운 일도 괜찮지 않을까?'

그렇게 한참을 고민 하던 찰나였습니다. 제가 졸업한 대학교에 새로운 수업 과정이 생겼다는 소식을 듣게 됐습니다. 바로 해외 치과기공사 면허증 취득 과정이었습니다. 같은 면허증이었지만, 다른 게 있었습니다. 바로 캐나다 치아기공사를 받는 과정이었습니다.

단번에 기회라는 생각이 들었습니다. 처음 그 과정을 알아봤을 때는 또 다른 고민이 따라오기도 했습니다. 어쨌든 수업 과정이고 면허증을 받는 과정인 만큼 시간을 많이 할애해야 했습니다.

총 6개월 동안 수업을 듣는 것인데, 처음 학교 수업 과정처럼 이론 기초부터 시작하는 것이었습니다. 게다가 생리학, 세균학 등 제가 대학을 다닐 땐 배우지 않았던 신규 과정까지 해내야 하니, 머리 아프게 공부해야 하는 게 빤히 보였습니다.

캐나다 면허증인 만큼 영어까지 공부해야 했기에 정신없이 매달려야 했습니다. 그러나 용기를 내서 수업에 등록하자 선택하길 잘했다는 말이 절로 나왔습니다. 신규 교육 과정을 통해 새로운 공부를 하게 됐는데, 그 공부는 지금 제가 하는 일에 확실하게 도움이 되는 지식이 되었습니다.

캐나다 치과기공사 면허증 과정을 들으면서, 우리나라와 다른 역할이 가장 먼저 눈에 띄었습니다. 우리나라는 치과기공사가 직접 환자의 입 안을 보는 게 안 됩니다. 하지만 캐나다는 '덴처리스트'라는 환자를 마주하고 틀니를 직접 제작하고, 장착하는 것까지 가능한 자격증이 있었습니다.

이렇게 새로운 걸 알게 되었다는 것을 깨달을 틈도 없이 또 공부해야 했습니다. 그러는 중에 일까지 해야 하니, 몸이 피로해질 수밖에 없었습니다.

'아 괜히 한다고 그런 걸까?'

간혹 이런 마음이 들기도 했습니다. 무엇보다 그 과정을 공부하는 분들은 캐나다 이민을 준비하고 있었기에 열정이 대단했습니다. 그 열정을 따라가기엔 제 목표가 그들과 다르다는 것, 그리고 일을 병행해야 한다는 한계가 생기기 마련이었습니다. 그 분들 사이에 껴서 이래저래 시간을 내고 점수를 받기란 어려웠습니다.

그래도 그 시간을 버틸 수 있었던 것은 지금까지 배운 것과 완전하게 다른 것을 습득할 수 있어서였습니다. 외국에서는 사람 입 안에 들어가는 보철물에 있어서 가장 중요하게 여기는 게 있었습니다. 바로 소독이었습니다. 물론 저희도 보철물을 만들며 소독을 하고, 그 보철물을 가져간 치과에서도 소독을 이중으로 처리합니다. 하지만 본질적으로 감염관리의 중요성이 실기에까지 미칠 정도로 중요한 요소라는 걸 다시금 확인하게 되었습니다.

이 자격증 과정에는 당연히 실기가 포함되어 있었습니다. 과정을 마무리 한 사람들을 대상으로 우리나라에서 실기를 보는 건 마찬가지였습니다. 그렇게 겨우 과정을 끝내고 나서, 곧바로 다른 시험을 준비했습니다. 바로 앞서 말한 덴처리스트 시험이었습니다.

하지만 덴처리스트 실기는 캐나다로 직접 가서 실기를 치러야 했습니다. 똑같은 고민을 다시 시작하게 될 수밖에 없었습니다. 다시 시작하느냐, 아니면 현재의 상태를 유지하느냐의 문제였습니다. 이러한 고민들은 언제 누구에게나 찾아옵니다. 고민을 한 번 끝냈다고 생각했을 때도 그대로 다른 고민이 돌아오는 것처럼 끝이 없습니다. 저는 결국 결정을 내렸습니다. 캐나다 이민을 준비하는 것은 아니지만, 이렇게 어렵게 시작한 공부와 시험을 도중에 포기하는 마음으로 접을 수 없었습니다.

그렇게 비행기에 오르고 캐나다에 갔습니다. 여행이 아닌 공부를 목적으로 간 캐나다는 그 어디보다 낯선 느낌이었습니다. 캐나다에 머무르며 덴처리스트에 대한 교육을 다시 받았습니다. 그리고 곧바로 시험을 보았습니다.

시험은 바로 앞에 환자를 치과용 의자에 눕혀둔 뒤에 직접 보철물 제작을 하는 과정이었습니다. 가장 중요한 건 세균관리와 같이 제일 중요한 기초 사항을 잘 확인하는지, 실수는 없는지였습니다. 저는 배운 순서대로 작업을 할 때 낀 장갑조차 조심스럽게 다루었습니다.

결국 어렵지 않게 면허증을 받게 되었습니다. 면허증에 있는 제 이름을 보자, 낯선 곳에서의 도전이 이렇게 아름다운 결과를 만들어준 것에 대한 감사한 마음으로 가득 찼습니다. 물론 실수를 해서 면허증을 못 받았다고 해도, 같은 마음이었으리라 생각합니다.

외국에는 치과기공소에 치과용 의자가 다 있을 정도로 덴처리스트에 대한 신뢰와 필요성이 부각되고 있다고 합니다. 저와 함께 캐나다행 비행기에 오른 다른 사람들은 면허증을 받은 뒤 아예 면접까지 보고 갈 생각에 정장까지 준비한 사람들도 있었습니다. 저는 어디까지나 새로운 도전이라는 생각에 그럴 생각은 없었지만, 마음속에는 하나의 무기가 생긴 것 같았습니다. 지금은 아니라도 나중에 혹시라도 그럴 마음이 생겼을 땐, 갈 수 있는 기회가 충분하다고 생각하니 마음이 든든해지기도 했습니다.

여러분들은 새로운 도전을 하고 있나요? 그렇다면 그 도전은 늘 다른 일이었나요? 주변을 둘러보면, 생각보다 많은 분들이 구체적이지 않은 '새로움'에 휩싸여, 무얼 시작하지도 못한 채 시간을 보내기도 합니다. 그렇다면 반대로 질문을 이어나가보는 건 어떨까요?

"지금 내가 하는 일에서 나를 변화시킬 새로운 건 무엇일까?"

지금 하는 일을 통해서도 새로운 일을 만들 수 있습니다. 저는 어쩌다 좋은 기회를 알게 되었고 그 도전을 통해 하나의 무기를 만들었습니다. 여러분들도 자기만의 든든한 어느 한구석을 갖게 되리라 믿고 주변을 둘러보는 건 어떨까요?

열네 번째 질문

도움을 받아도 될까요?

사람들은 도움을 주는 것보다 도움 받는 걸 더 어렵게 생각합니다. 왜 그럴까요? 아무래도 그건 어떤 '실례'라고 생각하기 때문인 것 같습니다. 어쩌면 생각 이전에 우리의 잘못된 학습이 빚은 고정관념이 아닐까 싶기도 합니다.

우리는 어릴 적, 남을 돕고 살아야 한다는 말 대신 남에게 피해를 끼치지 않아야 한다는 말을 더 자주 들었습니다. 이 말에는 남에게 부탁하는 것을 어렵게 느끼게 된다는 문제가 있습니다. 물론 부탁은 상대에게 강요하는 일이 아니어야 합니다. 그저 상대에게 건네는 하나의 '질문'이라고 생각하면 쉬운 일이 될 수 있습니다.

이 말에 대해 간단하게 설명 드리겠습니다. 지금 책에서 제 이야기를 하는 동시에 다양한 질문을 던져서 그에 맞게 또는 질문에 이어서 글을 써나가고 있습니다. 제 질문에 대한 저의 답변을 쓰고 난 뒤 여러분에게도 답변을 요구하지만, 그 답변이 조금 어설프거나 답하기 싫을 땐 건너뛰어도 됩니다. 질문이 나온다고 해서 무조건 답하라는 것이 아니고, 읽는 사람이 그저 마음대로 선택하면 됩니다.

즉, 부탁은 상대에게 '권유하고 질문'하는 것입니다. 질문을 하는 스스로가 상대의 입장으로 그 질문을 들었을 때, 어떻게 해야 할지 한 번만 더 생각하면 되는 일입니다. 물론 질문을 너무 자주하거나 거절하기 어려운 질문을 계속해서 한다면 상대에게 '실례'가 된다는 건 확실한 일입니다. 주의를 한다는 건 마찬가지지만, 너무 조심스럽게 애쓸 필요는 없습니다. 스스로가 상대가 되면 간단한 일입니다.

우리에게는 어려울 때 다른 사람에게 부탁을 할 수 있는 용기, 혹은 상대가 나를 위해 움직이는 도움, 그 배려를 받아들이는 용기가 필요합니다. 저도 다양한 도움을 받은 적이 있습니다. 작게는 길을 걸으면서, 먼 곳으로 여행을 가서. 그리고 회사를 차렸을 때도 마찬가지였습니다.

저는 사업을 시작할 때 누구보다 가족들에게 많은 도움을 받았습니다. 바로 아래 올케는 대전에서 일을 하다가 익산까지 내려와야 했습니다. 올케의 도움이 처음에는 조금 어렵게 느껴졌습니다. 쉽지 않은 결정이었을 텐데, 계속해서 도와준다는 게 부담스럽게 느껴졌습니다. 점점 치과기공소는 커지고 있었지만, 도움에 비해 턱없이 적은 월급을 줄 수밖에 없었습니다. 힘에 부치는 상황에서 동생까지 내려왔습니다. 부부가 내려와서 저를 돕는 데, 챙겨줄 거라곤 별거 없어서 미안할 뿐이었습니다. 그러나 동생 부부는 회사에 거래처가 하나씩 늘어날 때마다 오히려 대표인 저보다 자기 일처럼 신나했습니다.

침대에 누워 잠이 들기 전에 저는 동생 부부의 얼굴을 떠올리며, 더 잘해야 한다는 각오를 다졌습니다. 회사가 잘 되면, 저도 똑같이 동생 부부를 도울 거라고 다짐했습니다. 그러자 마음의 부채가 싹 사라졌습니다.

동생이기 전에 한 회사에 일하는 직원으로서, 스스로 만족하는 게 서로에게 모두 좋은 일이라고 여기기로 했기 때문입니다. 동생은 일에 재미를 느끼면서, 치기공과에 입학했습니다. 동생이 스스로 한 선택이자, 하나의 새로운 결정이었습니다. 그렇게 회사에 필요한 사람이 되기 위해 해야 할 일이 있고, 다시 배워야 할 것이 생긴다는 걸 알고 행동하는 걸 보니 제가 동생에게 더 큰 도움을 준 게 아닐까 싶기도 했습니다.

그 누구도 타인의 도움 없이는 살 수 없습니다. 그 도움을 통해 서로가 더 커지는 일로 이어지는 게 쉽지는 않겠지만, 분명 그럴 수 있습니다.

저는 첫 직장에서부터 많은 도움을 받았습니다. 친구와 함께 치과기공소를 차리고, 다시 제 이름으로 된 치과기공소를 차리기까지 많은 마음을 전해 받았습니다. 점점 사업을 확장하면서 많은 수업을 들었고, 그 수업 안에서 만나게 된 여러 사람들, 그 분들도 은인이나 마찬가지였습니다. 지금까지 몰랐던 다양한 일을 알려주시기 때문입니다.

저와 거래하는 치과 원장님들도 제게 큰 힘이 되어주는 분들이시지만, 특히 더 도움을 받은 원장님이 계십니다. 효자동에서 치과를 하고 계신 그 원장 선생님은 익산에 친구와 함께 치과기공소를 시작하고 얼마 지나지 않았을 때도 먼저 연락을 주셨습니다.

어느 날은 제게 전화를 걸어 대뜸 따져 물으셨습니다.

"아니, 나한테 얘기도 안 하고 어디로 가서 일을 하는 거예요?"

사실 그 전에 한 회사의 직원으로 일했고 같은 업종을 개업한 저로서는 따로 연락을 드릴 수 없었습니다. 그러나 효자동 치과 원장님은 제가 퇴사했다는 소식을 뒤늦게 알고는 먼저 연락을 해주셨습니다.

"아, 선생님 죄송해요. 너무 정신이 없었어요. 잘 지내시죠?"

"아니, 내가 많은 거래를 안 했다고 해도 그렇지. 앞으로 우리 병원 보철물도 부탁해요. 내가 유경 씨 실력은 믿잖아! 바쁘더라도 부탁 좀 할게요."

원장님은 무엇보다 제 실력을 믿어주셨습니다. 직접 연락을 받고 보니, 몸이 하늘에 떠오른 것처럼 기뻤습니다. 주문량이 많아서 기쁜 것보다 저와 제 직원들, 우리 회사의 실력을 믿어주셨다는 게 가장 큰 기쁨이었습니다.

돕는다는 말을 들을 때 사람들이 어려워하는 건, 물질적인 혹은 직접적인 행동이 뒤따라야 한다는 부담 때문입니다. 그것도 물론 큰 도움이지만, 마음을 써서 돕는다는 건 더 어려운 일입니다. 마음으로 돕는다는 건 이런 게 아닐까 싶습니다. 상대를 진정으로 존중하고 배려하고, 생각해야지만 할 수 있는 일입니다. 저는 효자동 치과 원장님에게 받은 마음을 지지대로 삼아, 더 열심히 달려야겠다고 다짐했습니다.

도움이라는 건 내가 줄 수 있을 만큼, 남들에게도 받을 수 있는 일입니다. 도움을 불편하게 여기지 마세요. 그리고 받은 것보다 더 크게 상대에게 내어주겠다는 다짐을 해보는 건 어떨까요.

열다섯 번째 질문

실수를 해보셨나요?

사람들은 실수라는 단어를 어려워하고 감추고 싶어 합니다. 저도 마찬가지였습니다. 늘 실력을 인정받던 저에게 실수라는 건 스스로가 참을 수 없는 일이기도 합니다.

그렇다면 완벽한 사람이 있을까요? 전 없을 거라고 생각합니다. 물론 완벽에 가까운 사람은 있을 거라 생각합니다. 하지만 가까울 뿐이지, 완벽하지는 않습니다.

요 근래 이세돌 9단과 인공지능 로봇의 바둑 대결이 한

창 화두로 떠오른 적이 있습니다. 이세돌 9단과 인공지능 로봇의 대결은 인간의 승리였을까요? 이미 대부분이 결과를 아시겠지만, 인공지능 로봇의 승리로 끝났습니다. 로봇은 어떠한 계산을 입력만 해두어도 절대 까먹지 않습니다. 그걸 오래 기억하고 다른 계산에 적용까지 합니다. 만약 오류가 생긴다거나 전원이 안 들어오면 모르겠지만 말입니다.

하지만 그러한 기계도 한 번은 인간 대표 이세돌 구단에게 패배했습니다. 사람은 다양하게 생각을 확장하고 답을 바꾸지만 기계는 할 줄 모릅니다. 이미 정해진 수식 안에서만 답을 내립니다. 이렇게 복잡한 수식부터 계산을 할 줄 아는 로봇도 잠깐의 실수를 하는 인간적인 면(?)을 보이는데, 사람이라는 존재는 얼마나 많은 인간적인 요소를 갖고 있는 걸까요.

사람이 실수할 수 있는 존재인 건 분명합니다. 그리고 우리는 한 개인의 실수에 대해서는 도덕적인 차원에서 만큼은 인정하고 이해해주어야 합니다. 모두가 할 수 있는 '실수'일 뿐이니 말입니다.

저는 치과기공사로서 베테랑이라고 자부하지만, 초반에

는 많이 혼나며 일을 배웠습니다. 일을 처음하는 신입이라는 꼬리표는 당연했고, 주변 분들은 그 실수에 대해 혼내기는 해도 너그럽게 이해해주셨습니다.

첫 직장에서는 이런 일도 있었습니다. 그날도 다른 날과 똑같았습니다. 출근하자마자 의뢰서를 확인했습니다. 의뢰서에는 A 환자에게 순도가 높은 금으로 보철물을 만들어야 했고, B 환자에게는 조금 순도가 낮은 금으로 보철물을 만들어야 했습니다. 근데 제가 그만 실수로 A 환자에게 들어 가야할 재료를 가지고 B 환자의 보철물을 만들었던 것입니다. 환자가 낸 금액이 전혀 다를 수밖에 없었습니다. 저는 보철물을 다 만든 다음에도 전혀 알지 못했습니다. 그렇게 보철물을 전부 치과에 보냈습니다.

치과에서 보철물을 꺼내 환자에게 장착하는 과정에서 이상하다고 여겼습니다. 의뢰서와 다른 보철물이 왔으니 당연했습니다. 그 소식은 그대로 저에게 전달되었습니다.

"실수요? 네… 다시 해야죠……."

처음에는 민망함에 많이 주눅이 들 수밖에 없었습니다. 그렇게 A 환자의 보철물을 다시 만들어야 하는 일이 생겨버렸습니다.

그러한 실수들이 몇 번 반복되면서, 한 번 했던 실수는 다시 하지 않겠다는 생각으로 꼼꼼하게 의뢰서를 확인했습니다. 해가 지나면 좀 익숙해질 수 있지만, 우리는 로봇이 아닌 사람입니다. 시간이 지날수록 더 많은 확인이 필요했습니다. 바로 위치가 점점 달라졌기 때문입니다.

제가 신입으로 치과기공소를 들어갔을 땐, 선임이 있었습니다. 제 실수는 분명 제 실수이지만, 동시에 최종 확인을 하는 선임의 책임이기도 했습니다. 그러나 시간이 흐르고 제가 선임이 되자, 기공소 내의 모든 일이 제 책임이 되었습니다. 익숙해지는 일에서도 다양한 실수는 곧잘 생기기 마련입니다.

사람들마다 특징이 있고, 일 하는 방식에도 버릇이 있듯 치과기공사에게도 만드는 패턴이라는 게 있습니다. 다 같아 보이는 보철물이라도 내가 만든 보철물은 한눈에 알아볼 수 있습니다. 한 병원과 오래 거래하다 보면, 예전에 제가 만들었던 보철물 그대로 한 환자의 치아를 본 뜬 것이 제 손에 올 때가 있습니다. 그럴 땐 스스로 창피하기도 하고, 반대로 뿌듯할 때도 있습니다.

아주 오래 전에 한 보철물인데도 불구하고 잘 만들어진 경우가 있고, 스스로가 만든 게 확실한데도 불구하고, 도통 마음에 들지 않는 경우가 있습니다.

그래도 다행인 건, 점점 나아지고 있다는 걸 확인할 수 있다는 것입니다. 그러한 발전이 생긴다는 게 바로 인간적 면모, 실수의 매력이 아닐까 싶습니다.

지금 한 회사의 대표로 있으면서 많은 것들을 확인해야 하는데, 큰 문제가 생기는 걸 해결해야 할 때도 곧잘 생깁니다.

제가 거래하는 병원은 전라북도 내에 여러 곳입니다. 어느 날 병원에 찾아가 원장님과 일에 대한 논의를 할 때였습니다. 갑자기 환자가 큰소리를 냈습니다.

"아니, 뭐? 뭐가 바뀌었다고? 그래서? 내일? 담당자 데려와!"

순간 덜컥 겁이 났습니다. 어떤 일이 생긴 건지 불 보듯 뻔했습니다. 바로 보철물이 바뀌었던 것입니다. 환자가 시간에 맞춰 병원에 오고 의자에 누워있는데 보철물이 바뀌어서 장착 작업을 할 수 없어졌으니, 얼마나 화가 나는 일이겠습니까.

저는 곧바로 회사에 전화를 했습니다.

“여기 보철물 바뀌었어! 어디로 갔는지 알아봐요.”

바뀐 병원을 알아내고, 저는 부랴부랴 그 병원에 들어간 보철물을 찾으러 갔습니다. 그리고 환자의 뒤바뀐 보철물을 들고 되돌아왔습니다. 전라북도 내에 제가 거래하는 곳이 많기는 해도, 끝에서 끝까지 1시간 내에는 가능했으니 망정이지, 다른 지방이었다면 해결할 수 없는 일이었을 겁니다. 가끔은 조금 먼 거리라 퀵을 불러야 하는 경우도 생기곤 했습니다.

매번 반복되는 것 같아 지치는 마음도 들지만, 사실 자세히 들여다보면 조금씩 줄어들고 있습니다.

일을 하다 보면 불량이 만들어질 수 있고, 병원에서 원하는 모양과 달라서 다시 만들어야 하는 경우도 있습니다. 그러나 사람이기에 할 수 있는 실수의 일부분입니다. 그리고 실수를 반복하지 않기 위해 노력해야 하는 건 전부 개인의 몫입니다. 그 개인의 실수가 줄어들 수 있도록 만드는 게 회사의 역할이라고 생각하면 마음이 한결 편안해집니다.

우리는 사람입니다. 기계가 아닙니다. 실수라는 게 존재하지만, 절대적이지 않습니다. 그 실수를 줄이는 방법을 찾을 수 있다고 믿는다면, 그 실수는 실수인 채로 남지 않을 것입니다.

실수를 해보셨나요? 당연합니다. 우리 모두 인정해야 하는 하나의 깨달음입니다.

열여섯 번째 질문

직업으로 행복함을 만들 수 있을까요?

사람들에게는 어쩔 수 없는 고정관념이 존재합니다. 어떤 일이나 상태에 대한 선입견도 고정관념이 불러일으키는 일입니다. 워낙 다양하기도 하고, 사람마다 각각 다르겠지만, 학교나 직업에 대한 고정관념은 뛰어넘을 수 없을 만큼 유난히 높아 보입니다.

학교나 직장이 얼마나 중요하기에, 상대의 학교와 직장을 묻는 걸까요. 물론 중요한 건 사실입니다. 한 사람이 미래에 나아갈 방향이기도 하기 때문입니다. 하지만 그건 전부가 아닙니다. 학교나 직장을 통해 상대의 모든 것을 판단하는 건 좋지 않은 방법이라고 확실하게 말하고 싶습니다.

저 또한 젊은 시절에 전문대학을 나왔다는 이유만으로 어쩐지 작아지는 기분을 느껴야 했습니다. 근데 그게 옳지 않다는 건 상대도 느끼기 마련입니다. 여기서 우리는 한 가지를 깨달아야 합니다.

'어느 누구도 삶을 허투루 살지 않으며, 어느 누구의 삶을 그 누구의 삶과 비교할 수 없다.'

누군가와 누군가를 비교하는 건 대수롭지 않게 생각하면서, 누군가가 본인과 다른 누군가를 비교한다고 하면 대부분이 기분 상해 합니다. 내가 생각하는 게 다른 사람에게도 똑같이 적용되어야 하는 걸 왜 잠깐씩 잊게 되는지 이해되지 않습니다.

상대의 옆에서 상대를 판단하지 않고 그의 선택을 존중하고, 곁에서 박수를 쳐주는 것이 더 좋은 '마음을 보내는 방법'이 될 수 있습니다. 선택이 각자의 몫이듯, 판단도 스스로 할 수 있도록 배경을 만들어 주는 것. 이게 더 필요한 세상이라고 생각합니다.

사람들은 직장과 학교에서 행복을 찾을 수 있을지 묻고는 합니다.

"분명 그럴 수 있습니다."

어떤 일을 행하고 좋은 결과, 더 나은 삶을 꿈꾼다는 건 주관적인 행복을 향하고 있다는 뜻입니다. '누구보다 더', '누구만큼'이라는 생각보다는 본인의 만족을 향해가는 게 옳은 길이라고 생각합니다.

저에게 누군가 직업에 대해 물은 적이 있었습니다. 사실 그 질문이 직업에 대한 것인지 정확하게 기억나지는 않습니다. 다만 다시 제 직업에 대해 생각하게 된 계기가 되었습니다.

저는 일을 하면서 떠오르는 해를 본 적이 많습니다. 일을 하다가 밤을 몽땅 써버린 탓이었습니다. 그렇게까지 힘들게 일을 한다는 건 그 누구도 상상하기 싫은 일일 것입니다. 하지만 저는 그 시간이 괴롭지 않았습니다. 간혹 피로를 느끼기는 했지만, 제가 책임감을 가지는 것에 대해 큰 도움을 주리라 믿었습니다.

‘일을 많이 한다고 해서 너에게 돌아오는 급여가 많아지는 것은 아니야.’

‘일을 많이 한다고 해서 금세 모든 것을 배울 수 있게 되는 것은 아니야.’

종종 이런 말을 듣기도 했습니다. 저도 틀린 말이라고 생각하지는 않습니다. 하지만 저런 질문들은 너무 조급한 판단이라고 생각하지 않나요?

많은 사람들은 다 알고 있습니다. 빠른 길이 없다는 걸 말이죠. 일을 한다는 건 스스로 일의 노하우를 익히고 삶을 개척한다는 것과 다르지 않습니다. 그리고 개척된 삶에서 또 다른 일을 배우고, 시작하는 것입니다.

직업이라는 건 그래서 중요합니다. 물론 학교라는 곳도 직업을 위한 바로 전 단계로 인식되니 중요할 수밖에 없습니다. 하지만 그곳에서 상하를 정하고 우위를 정해두는 건 상대에 대한 배려가 아닙니다. 그리고 더 중요한 건 절대적인 정답도 없다는 겁니다. 각자의 위치에서 최선을 다하는 삶이 가장 중요하다는 걸 깨달아야 할 때가 된 건 아닐까요?

사람들은 행복을 다양한 곳에서 찾습니다. 한 가지만으로 행복하다는 조건을 갖추기에는 조금 어려워 보이기도 합니다. 저는 그중에서 직업만으로도 충분한 행복을 찾을 수 있다고 믿고 있습니다.

직업은 사람에 따라 굉장히 다양합니다. 그리고 직업을 통해 돈을 받을 수 있고, 그 돈을 통해 세상을 살아갈 수 있습니다. 돈이라는 건 중요하지만, 그게 최종 목표가 아니듯 '내가 하는 일'에 초점을 맞추어서 생각해야 합니다. 본인이 할 수 있고 즐거운 일이라면 돈은 중요 가치가 아닙니다.

저는 처음에 월급 없이 3개월 동안 일했습니다. 지금의 법으로는 이해되지 않는다고는 하지만, 불만은 없었습니다. 당시에는 당연했던 일이었고 무엇보다 제가 할 수 있는 일을 할 수 있는 기회가 주어졌다는 것에 만족을 느꼈습니다.

제가 이렇게 말하는 건 무보수로 일을 하라는 게 아닙니다. 자신이 원하는 게 무조건 돈에 맞춰진 채로 향한다면 결국 실제적인 숫자로 비교하게 되고, 그만큼 불행해질 수도 있다는 걸 말하는 것입니다. 인터바스 박현순 회장의 책 『양변기와 함께 춤추는 CEO』를 보면 제 말을 더 이해할 수 있을지도 모릅니다. 박현순 회장은 어릴 적 자유로운 영혼(?)으로 시간을 보냈다고 했습니다. 그 때문에 고등학교를 다니면서 세 번의 퇴학예정 통지서를 받기도 했습니다. 그러나 결국 사회에 나와 지금은 한 회사의 대표로 있으며 대통령표창을 받기도 했습니다.

결국 한 회사의 대표가 되었다는 건 중요한 게 아닙니다. 박현순 대표는 본인이 즐길 수 있는 일로 무역을 찾았고 무역에서 1인자가 되기 위해서 무보수 직원으로 한 회사에 입사했습니다. 본인이 역량을 키워줄 수 있는 곳, 그리고 즐기기 위해 선택한 일이었습니다. '돈'에서 한 걸음 떨어진 선택도 때로는 필요한 것입니다.

우리가 살아갈 때, 어떤 지점에서건 돈과 연결되어 있다고 볼 수 있습니다. 하지만 그것이 전부는 아니며, 여러분의 즐거움과 행복에 어우러져 있어야만 합니다.

이번에는 직업으로 행복을 가질 수 있느냐의 문제에 대해서 질문했습니다. 그리고 결국 행복은 어느 곳에서든 찾을 수 있는 것이며, '먹고사는 문제'에서 벗어난 직업에서도 가능하다는 걸 말하고자 했습니다.

여러분의 행복은 어디에서 오나요? 저처럼 일을 함으로써 얻어지는 것은 없을까요? 제가 그것을 찾아냈듯 여러분도 분명하게 찾고 느끼리라 생각합니다.

열일곱 번째 질문

한 걸음 앞서 걸은 적이 있나요?

첫 월급을 받은 치과기공소에서 7년 동안 일했습니다. 그만큼 애착이 큰 곳이었습니다. 다른 곳에서 2년 정도 다닌 적도 있었지만, 처음 다녔던 곳으로 돌아가 2000년도까지 일했습니다. 지금도 일을 하고 있지만, 정말 쉼 없이 달려왔다는 생각이 들기도 합니다.

덕분에 회사에서는 없어서는 안 될 존재가 되었습니다. 제가 딱 한 번 일을 쉬었던 적이 있는데, 1997년 척추측만증으로 수술을 받았던 때였습니다. 한 달 반 동안 병원에 누워 지내야 했는데, 퇴원을 한 뒤에도 운전도 못 하고 불편하게 지낼 수밖에 없었습니다. 차가 없으면 움직이기 힘드니 별수 없이 일을 더 쉬어야 하나 싶었을 때, 치과기공소 대표가 나섰습니다. 제 몸이 회복되는 몇 주 동안 매일 아침 저를 데리러 와주시고 집까지 데려다 주셨습니다.

그때 이런 생각을 했습니다.

'아 이정도면 내가 회사에서 많은 일을 한만큼 대우를 받고 있구나.'

제가 한 일에 대한 대우는 오로지 급여와 같이 물질적인 것이 아닙니다. 사람과 사람의 관계에서 보이는 믿음과 정이었습니다.

이 책을 읽고 있는 독자분들은 사회에서 활동을 하고 있는 분들이 더 많으리라 생각합니다. 하지만 아직도 학생이거나 가정 일을 도우며 따로 사회활동을 하지 않는 분도 있을 겁니다. 다들 막연하게 사회에 대한 두려움을 안고 있는 건 마찬가지일 것입니다.

저도 그랬습니다. 하지만 막상 사회생활을 시작하고 사

람들과의 관계가 쌓이면서 생각보다 더 많은 것을 얻게 될 수 있다는 걸 깨달았습니다.

2001년부터는 '어쩌다 보니' 치과기공소의 대표로 일을 시작하게 되었습니다. 이전에는 '내 회사', '내 치과기공소'를 운영해야겠다는 생각은 하지 않았습니다. 그러나 살다 보면 제 의지와 상관없이, 제가 생각하지 못했던 일이 찾아오고는 합니다.

대학 친구 대부분이 첫 직장을 치과기공소로 잡은 덕에 업계에 많은 친구를 두고 있었습니다. 그중에는 이미 치과기공소를 운영하던 친구도 있었습니다. 어느 날 그 친구에게서 연락이 왔습니다.

"경아, 혹시 치과기공소 운영할 생각은 없니?"

조금 당황스러운 질문에 잠시 뜸들이고 있던 찰나, 친구가 갑자기 외국으로 나가게 되면서 인수자를 찾는 상황이라는 설명을 듣게 되었습니다. 평소 같았으면 바로 안 하겠다고 말을 했겠지만, 그날은 웬일인지 고민이 되었습니다. 생각해보고 연락을 주겠다고 한 뒤, 다른 친구에게 연락을 했습니다. 평소 직장생활에 대해 불안함을 느꼈던 친구라, 함께 이야기를 해보면 도움이 될 것 같았습니다.

"그럼, 우리 둘이 같이 치과기공소를 시작해보자. 어차피 하던 일인데 어려운 게 있겠어? 쉽게 생각하자. 10년 동안만 해보는 거야!"

두 가지 길에서 고민하던 차에 친구의 답이 반갑게 들리기도 했습니다. 마치 기다린 답변을 받은 것만 같은 기분이었습니다. 그렇게 친구가 운영하던 '상아기공소'를 다른 친구와 반반씩 투자해서 인수하게 됐습니다.

'그래, 지금까지 하던 일이니 어렵게 생각하지 말고 시작해보자.'

2000년 12월 31일까지 원래 다니던 치과기공소에서 일을 마무리 하고, 2001년 1월 2일부터 대표라는 이름으로 상아기공소에 출근하게 됐습니다.

지금 떠올려도 슬쩍 웃게 되는 일이 생기기도 했습니다. 첫 출근을 하는 날이었습니다. 저는 자동차를 타고 출퇴근을 했는데, 그날도 자연스럽게 전주로 향하고 있었습니다.

'오늘 해야 할 일이 뭐가 있었더라…….'

잠시 고민하던 중에 조금 이상한 기분이 들었습니다. 그리고 단번에 '아차' 싶었습니다. 몸이 기억했던 탓인지 상아기공소가 아닌, 오래 다녔던 회사로 향하고 있는 걸 깨닫게 된 것이었습니다. 상아기공소는 예전 직장이 있는 전주와 조금 거리가 있는 익산이었는데 말입니다. 다시 차를 돌려 익산으로 향하며 익숙해진다는 게 이렇게 자연스러운 일이니, 친구와 대표로 있는 회사도 분명 자연스럽게 익숙해지리라 믿었습니다.

사람들은 처음 창업을 하며, 일을 시작한다는 것에 대한 두려움과 설렘을 느낀다고 하는데 저는 그 어느 것도 느낄 수 없었습니다. 너무 바쁘게 일만 해야 했기 때문입니다. 그리고 주변에서는 한마디씩 거드는 것도 잊지 않았습니다.

"근데 그건 너무 비싸게 주고 인수 받은 거 아니야?"
"잘 따져보기는 한 거야?"
"여자 둘이서 하기에는 좀 어려울걸? 곧 두 손 들고 팔게 될 거야."

왜 그렇게 안 좋은 얘기를 끊임없이 하는지, 도통 일이 손에 잡히지 않던 때도 있었습니다. 그러나 이미 돌이킬 수 없는 일이었고 예전처럼 한귀로 듣고 한귀로 흘려보내버렸습니다. 나쁜 말을 못들은 척 했습니다.

자기 일을 한다는 건 어렵습니다. 그것도 '굉장히' 라는 수식을 해야 할 정도로 어려운 일입니다. 같은 일을 계속한다는 건 마찬가지였지만 한 회사의 대표라는 입장은 너무나 달랐습니다.

저와 제 친구, 직원 3명이 함께 일을 했는데, 당시에 있던 내부의 직원들과 마찰이 생기곤 했습니다. 사람 간의 관계가 늘 좋았던 저에게는 무척이나 당황스러운 일이었습니다.

그리고 거래처와의 관계도 어려웠습니다. 관계를 지속하기 위해 직접 배달도 다녀야 했으며, 직원들의 작은 실수나 무엇이든 대표가 책임을 져야 한다는 게 힘들었습니다.

내부 직원이나 외부의 거래처 사이에서 제가 컨트롤해야 하는 것들이 많아지고, 매번 시간도 부족했습니다. 첫해까지는 직원들 월급을 챙겨주고 나면, 제 월급을 챙길 수도 없었습니다. 꼼꼼한 계획자 스타일과는 거리가 먼 저로서는 굉장히 어려웠습니다.

어떻게 해야 할지 모르던 시간이 흐르면서도 쉽게 사업을 접을 수는 없었습니다. 친구와 처음 약속했던 10년이 너무 먼 이야기인 것만 같았지만, 3년이 지나자 점점 익숙해지기 시작했습니다. 평생 할 고생 반절을 이 3년 동안 한 것 같다는 말을 종종 꺼내는데, 이미 지나간 일이기에 농담처럼 할 수 있는 게 아닐까 싶습니다.

점점 안정적으로 사업을 하는 도중 한 가지 제안을 받았습니다. 사업을 시작한 지 5년이 흐른 때였습니다. 평소 우리만한 치과기공소가 없다며, 좋게 평가하셨던 우석대학교 병원의 부속치과 원장 선생님이 한 가지 제안을 하셨습니다.

"치과 병동을 따로 짓게 되어서요. 새 건물에 소장님이 들어오셨으면 좋겠는데 혹시 하실 생각은 없으세요?"

조금 고민스러웠습니다. 그러나 이번에도 주변 상황이 도와주는 격이었습니다. 함께 일을 하던 친구는 결혼 후 출산을 하고 치공소 정리를 생각하던 중이었습니다. 둘이 운영했던 회사를 정리해야 하니, 자연스럽게 저는 따로 치과기공소를 설립할 수밖에 없었습니다.

그렇게 상아기공소를 정리하고 저는 우석대학교 치과병원을 따라 이사를 했습니다. 정들었던 치과기공소를 정리하고, 완벽하게 혼자 걸어야 하는 순간이 온 것이었습니다.

3명의 직원과 다시 시작하는 마음으로 새로운 회사 문을 열게 되었습니다. 그렇게 시작한 유경덴탈워크는 현재 50명의 직원이 있는 치과기공소로 거듭나게 되었습니다. 물론 이렇게까지 발전하게 된 계기는 그동안 사장처럼 일해준 소중한 직원들 덕분입니다. 그리고 저의 또 다른 지지자인 가족의 힘도 컸습니다.

어디든 어려운 일이 존재한다는 건 누구나 알고 있습니

다. 하지만 그 앞길이 어렵고 무섭다며 피하기만 한다면, 뒤에 따라오는 '기회'라는 틈은 전혀 찾아볼 수 없습니다. 그 틈을 위해서 우리는 어렵게 한 걸음을 걷는지도 모릅니다.

아직도 한 걸음 나아가는 게 어렵나요? 그래도 분명한 건, 앞으로 나아갔을 때 무언가 얻게 된다는 진실입니다. 그게 상처일 뿐이라도 경험은 스스로를 키우는 하나의 힘이 됩니다. 어렵다는 예측은 이제 당연하게 받아들이는 게 어떨까요?

열여덟 번째 질문

세상을 즐기는 방법이 있나요?

저는 친해진 사람들에게 늘 같이 가자고 하는 곳이 있습니다. 바로 노래방입니다. 제가 노래방을 가자고 말하면 사람들은 의아해하고는 합니다.

"대표님 노래 부르는 거 좋아하세요?"

남들이 보는 제 이미지가 어떤지 모르겠지만, 학창시절 좋아하는 과목에 음악 시간이 매번 껴있었을 정도로 노래

부르는 일을 굉장히 즐거워했습니다. 노래와 함께 자랐다고 말해도 될 정도로 어릴 적 시간을 음악과 보낸 저이니, 의외라는 말이 어색할 뿐입니다. 저는 늘 활발하게 움직이는 걸 좋아해왔고 라디오를 끼고 살며, 음악 듣는 걸 즐기는 사람이었습니다.

시골에 살 던 어릴 적, 라디오만 있다면 재미없는 하루는 존재할 수 없었습니다. 텔레비전이 많이 보급되기 전의 시골이 그러하듯, 라디오가 세상의 모든 소식을 들려주는 단 하나뿐인 통신수단 같았습니다. 라디오에서 나오는 노래를 많이 듣고 따라 부르다 보니, 웬만한 노래는 거의 다 알고 있었습니다. 왜 노래를 좋아했는지 생각해보면 노래를 따라 부를 때면 걱정이 사라지고, 노래에만 집중할 수 있었던 게 좋아서였던 것 같습니다. 그렇게 라디오만 끼고 살던 제게 변화가 찾아왔습니다. 베트남 전쟁에 참전하고 돌아오신 작은아버지가 저희 집으로 텔레비전을 가져온 순간이었습니다.

텔레비전은 라디오와 전혀 다른 세상이었습니다. 노래를 부르는 사람들의 표정을 읽을 수 있었고 몸짓도 볼 수 있었습니다. 청각과 시각 모두를 텔레비전에 온전히 집중하며 들었고, 이전에는 알지 못했던 이야기들과 새로운 것들을 접할 수 있었습니다. 빠르게 지나가는 광고와 뉴스에 나오는 각종 사건과 소식들은 모두 저에게 흥미로운 일들이었습니다. 제 주변에서 일어나지 않은 어떤 일이 누군가에게는 생겨난다는 것만으로도 눈이 동그래지곤 했습니다. 또 새로운 걸 알 때마다 저만 아는 이야기처럼 동생들에게 말해주곤 했습니다. 그러면 동생들은 제가 처음 그 소식을 듣던 때처럼 눈을 동그랗게 뜨고 이야기를 들어주었습니다.

그러다 작은아버지가 텔레비전을 들고 다시 댁으로 돌아가셨습니다. 저는 아쉬움을 느끼지 않을 수 없었습니다. 다시 라디오를 듣기 시작했지만, 라디오만으로는 부족하다는 생각도 들었습니다. 저는 곧 외갓집에 있는 텔레비전을 떠올렸습니다. 텔레비전을 다시 보기 위해서라도 외갓집에 가야 한다는 생각이 제 머릿속을 휘저어 놓았습니다. 저희 집에는 제가 조금 더 편하게 움직일 수 있도록 하는 유모차가 있었는데, 그 유모차를 타고 매번 외갓집을 들락거렸습니다. 유모차에 매번 오르내리는 저나, 유모차를 끌고 움직여야 하는 가족에게는 조금 어려운 일이었지만 텔레비전이 왜 그렇게 좋았는지 몇 번을 외갓집에 가자고 졸랐습니다. 결국에는 아버지가 텔레비전을 사셨고, 마음 편하게 텔레비전에 푹 빠져 살았습니다.

텔레비전을 많이 좋아하긴 했지만, 라디오에 대한 사랑이 쉽게 꺼졌던 건 아니었습니다. 당시 푹 빠진 이야기 프로그램이 있었기 때문입니다. 어린이 라디오 프로그램 <무지개 마을>이었는데, 텔레비전과는 확실하게 달랐습니다. 할머니 무릎에 머리를 대고 누워 옛날이야기를 듣는 기분이 어찌나 좋았는지 모릅니다.

제가 신기하게 생각할 만한 사건이나 사고 같은 건 없었지만, 어린 제가 좋아할 만한 이야기들이 계속해서 나왔습니다. 아무리 눈이 동그랗게 떠질 이야기라고 해도, 제 눈높이에 맞는 이야기, 재미있는 효과음과 노래가 가득 찬 그 프로그램을 텔레비전이 이길 수 없던 셈이었습니다. 이 프로그램 또한 저에게는 하나의 무기였습니다. 동생들이 학교에서 돌아오면 저는 동생들을 모아놓고 이야기를 시작했습니다.

"너희들 그 이야기 알아?"

"뭔데?"

"옛날에는 말이지……."

이렇게 이야기를 이어나가면 동생들은 모두 제 입에만 집중을 했습니다. 동생들에게 말을 하는 게 즐거웠던 건지, 약간 으스대고 싶었던 건지 모르겠습니다. 아무튼 누군가 모르는 재미있는 이야기에 제 스스로 양념을 쳐서 더 재미있게 전달하는 게 저에게는 하나의 놀이였습니다. 그리고 함께 프로그램 주제곡을 부르며 집안일을 하다 보니, 집안일까지 즐거워졌습니다. 그 어린 나이에 저는 혼자 무엇을 해야 할지 걱정할 일이 없었습니다. 남들보다 오래 집안에만 있어야 했지만, 즐거운 방법을 하나씩 터득해 나갔습니다.

부쩍 그런 생각이 들기도 했습니다. 나이가 들고 몸을 더 자유롭게 움직이게 되면서 당연히 더 즐거울 일들만 있을 것 같았지만, 현실은 녹록지 않았습니다. 더 많은 생각을 해야 하고 그 생각을 온전하게 만들기 위한 일을 해야 했습니다. 즐거움보다는 '더 나은 일'에 대해서만 골몰하게 됐습니다.

그럴 때마다 저는 어릴 적 들은 라디오를 생각하거나, 수업 시간에 불렀던 노래를 마음속으로 따라 부릅니다. 그러면 한결 나아지고는 합니다.

세상을 즐기는 방법이 멀리 있지는 않습니다. 어려울 일도 없다고 생각합니다. 소리만으로 바깥을 상상하고 즐거워했던 시간은, 아직도 제 몸과 마음속에 켜켜이 쌓여있습니다. 여러분도 자신만의 시간을 쌓아가고 있을 것입니다.

먼 곳에서 어렵게 찾지 마세요. 가만히 어릴 적 불렀던 노래를 따라 해보세요. 마음속에 천천히 즐거운 일이 퍼져나가지 않을까요?

열아홉 번째 질문

만남은 어떤 기회를 불러오나요?

만남이라는 건 늘 소중합니다. 그리고 그 만남은 어떤 기회를 불러오기도 합니다. 제가 지금 '기회'라는 거창한 단어를 쓰기는 했지만, 그 단어가 온전하게 갖고 있는 어떤 이용이나 수단을 말하는 건 아닙니다. 한마디로 '스스로의 변화'라고 생각하면 더 좋습니다.

몇 년 전에 치과기공소를 하는 분들을 중심으로 회사를 하나 설립했습니다. 물론 다 같이 뜻을 모아 한 일이라 공동명의로 운영되는 곳입니다. 어떤 특별한 매출, 이익을 위한 게 아닌 치과기공소 사업을 운영하는 우리가 실제적으로 연구를 하고, 결과를 내보자라는 의미였습니다.

대략적인 목표는 '어떤 기술을 통해 함께 제품을 만들어 국내가 아닌 국외로 수출을 해볼 수도 있지 않을까' 로 시작했습니다. 이제와 생각해보면 어떻게 이런 관계들이 만들어졌는지 신기하기도 합니다.

하지만 어느 곳에서나 나타날 수 있는 자연스러운 만남이었습니다. 한때 치과기공소에 새로운 장비가 필요했는데, 쉽게 살 수 없는 억 대 금액의 장비였습니다.

'아니, 무슨 기계가 그렇게 비싸지……. 근데 안 살 수도 없고 말이야.'

고민이 깊어지던 도중 전라북도에서 장비 구입을 위한 지원을 받을 수 있다는 소식을 들었습니다. 그에 대한 정보를 알기 위해 전문가를 만나러 다니다 보니, 자연스럽게 관련 치과기공사나 사업가를 여럿 만나게 되었습니다.

처음에는 낯선 기분에 다가서지 못했습니다. 개인적 친분 관계가 아니다 보니, 어색한 느낌을 넘어 말 한마디를 주고받는 것조차 어려웠습니다. 아시다시피 사람들의 관계가 전부 편하고 쉬울 수 없습니다.

하지만 가끔은 불편하고, 어려운 자리도 필요하고 그 관계를 지키면서 서로가 발전하기도 합니다. 저는 그 관계 안에서 친분이 아닌 사업적 관계를 난생 처음으로 만들게 됐습니다. 그렇게, 친분적 관계가 아닌 곳에서 '새로움'이 천천히 제 곁에 다가왔습니다.

우리는 모여서 개인적인 수다를 주고받다가도 금세 전문적인 정보를 나누었습니다. 그러다 자연스럽게 하나의 회사를 만들었고, 우리가 할 수 있는 또다른 일을 함께 고민해 나갔습니다.

처음의 취지는 단순했습니다. 치공소에서 사용하는 재료 90% 이상이 수입 재료였으니, 우리가 수입을 대체할 수 있는 재료를 만들어 보자였습니다. 그러다 보니 자연스럽게 수출이라는 역발상을 하게 됐습니다.

'그래, 왜 우리가 다른 나라 재료를 써야 하지? 분명 우리도 재료를 만들 수 있을 거야.'

그 자리에 있던 전부가 치공소를 운영하는 건 아니었지만, 대부분이 치과기공소와 관련된 일을 하는 분들이었습니다. 같은 치과기공소를 운영한다고 해도 각자 관심 분야나 전문 분야가 달라, 다양한 아이템을 염두에 두고 사업을 시작했습니다.

그중에서 저는 '마우스 가드'를 만드는 재료를 제조한 뒤에 수출하는 일을 맡게 되었습니다. 처음 수출이라는 걸 상상만 했을 때는 와 닿지 않았습니다.

'보통 수입에 기댔던 것을 어떻게 수출까지 할 수 있을까?'

처음부터 어려운 시도를 하고픈 마음이나 욕심은 버리기로 했습니다. 기존 국산 제품을 일본 회사에 수출하려고 노력을 하면서, 반대로 품질이 좋은 제품은 직접 수입하기 위해 노력했습니다. 서로 같은 제품을 필요로 한다는 관계를 만들고 나자, 역으로 의뢰가 오기도 했습니다.

서로 거래를 통해 관계를 쌓으면서 수출과 수입을 늘렸습니다. 그렇게 4년 동안 여러 명의 대표들과 운영했던 곳에서 올해 처음으로 '유경덴탈워크'라는 이름으로 수출을 할 수 있게 됐습니다.

엄청난 양이거나, 큰 금액은 아니지만 제 개인이 아닌, 내 이름이 들어간 회사 이름으로 결과를 냈다는 게 꿈만 같았습니다.

'막상 해보니까 별거 아니다.'

이런 생각마저 들었습니다. 역시 노력은 사람을 배신하지 않고 용케도 내 앞에 좋은 소식을 안겨준다는 사실이 가슴을 뛰게 만들고 설레게 했습니다. 이 시작이 발판이 되어 더 좋은 일들이 생겨나길 바라기도 했습니다. 그래야 더 설레는 일이 늘어날 수 있을 테니 말이죠.

지금까지 많은 만남들이 있었지만, 그 만남은 늘 많은 결과를 가지고 왔습니다. 물론 언제나 좋은 결과는 아니었습니다. 하지만 100명과의 만남 중 99명과의 만남이 소중했고 서로에게 도움이 되었던 것만큼은 확실합니다.

다들 처음보는 사람을 만나 관계를 쌓아가는 걸 힘들어

합니다. 그 마음은 저도 이해합니다. 저 또한 그러했기 때문이었으니까요.

저는 치과기공사라는 직업 특징상 다양한 사람을 만나기가 쉽지 않았습니다. 매일 같이 쏟아지는 일이 있었고 그 일과 관계된 사람들만 만나게 되었습니다. 그러다 스스로 다른 사람을 만나고 싶은 욕심이 생겼을 때가 있었습니다.

'언제까지 일에만 매달려서 그 좁은 관계에서만 헤엄쳐야 할까?'

이런 의문이 증폭되었을 때, 용기를 냈습니다. 그리고 제가 배워야 하거나 필요한 일, 할 수 있는 일을 생각했습니다. 그리고 제일 먼저 떠오른 김제여성센터에 갔습니다. 간단하게 컴퓨터를 배우기 위해서였지만, 저와 다른 일을 하는 사람들과의 관계를 쌓기 위해서였습니다.

거의 처음으로 다른 분야에서 일하는 이들과 만나게 되었고, 그 뒤로 평생교육원이나 최고위과정을 다니면서 다른 사람들을 찾아 다녔습니다. 몸이 바쁘고 해야 할 일이 몇 배로 늘어난 건 사실입니다. 가끔은 피로한 일도 생겼고, 챙겨야 하는 것들이 손에 꼽을 수 없을 정도로 쏟아지기도 했습니다. 하지만 분명한 건, 장점이 더 크다는 것입니다. 무엇보다 사람에 대한 이해가 깊어지게 됐습니다.

오로지 치기공이라는 한 가지 일만 해 오고 그 일만 알던 제가 다른 사람의 삶을 알게 되었습니다. 카네기라는 모임에 가서도 마찬가지였습니다. 다른 사업을 하는 사람들을 만나게 됐습니다. 제가 하는 사업과 직접적인 관계는 없었지만 사람을 통해 내가 한 뼘 더 커진다는 느낌까지 받았습니다. 어쩌면 그 안에 있는 사람들은 그 만남에 대한 소중함을 알았기에, 저보다 먼저 다양한 교육 과정을 듣고 관계를 이어나갔는지 모릅니다. 이렇게 열심히 움직이면 좋은 일이 따라오기도 합니다.

전혀 상관없다고 생각한 외부적인 곳에서 제 일과 관계된 사람을 만나기도 합니다. 만날수록 상대가 더 편해지는 건 물론이고, 운 좋게 다른 치과 원장님을 소개 받거나 새로운 일을 시작할 수도 있어졌습니다.

지금 이 책을 내는 출판사 대표도 마찬가지입니다. 어떤 특정 모임이 아니었지만, 관계에서 관계로 이어지면서 소중한 인연이 되었고 이렇게 생각지도 않았던 책을 내게 되었습니다. 만남이라는 걸 곰곰이 생각해보면 다행스럽게도 늘 이렇게 고마운 일들만 뒤따라 왔습니다. 전부 나열할 수는 없겠지만, 모든 연결은 '만남'에서 시작되었습니다.

이 글에서 저는 "만남은 어떤 기회를 불어오나요?"라고 질문을 했지만, 사실 분명한 답을 말해주고 싶었습니다. 그 어떤 만남에도 작은 기회, 인연이라는 연이 닿는 기회가 있다는 걸 말입니다.

사람과 사람의 관계는 만들기 쉽습니다. 다만 그 관계를 소중하게 여기세요. 그래야 여러분도 누군가에게 소중한 사람이 될 수 있습니다.

스무 번째 질문

감당할 수 없는 일이 있을까요?

감당할 수 없는 일이 있다고 생각하시나요? 분명하게 말하자면, 있습니다. 그렇다면 조금 다르게 질문해보겠습니다. 사람이 감당할 수 있는 일은 어느 정도의 일일까요? 그건 알 수 없습니다. 사람에 따라 다른 기준이 있기도 하고 그게 보통이든 약간이든, 혹은 많다고 해도 무엇이 옳다고는 할 수 없습니다. 개인별로 다를 뿐입니다.

보통 사람들은 인내하는 삶이 더 옳다고 말을 합니다.

그게 학교든 직장이든 말이죠. 하지만 저는 그 의견에 반대합니다. 우리의 삶은 생각보다 짧고, 모두 그렇게 하니까 하는 것보다 하고 싶은 걸 하는 게 행복이기 때문입니다.

하고 싶은 걸 할 때 우리는 인내한다고 하지 않습니다. 그 행동을 즐긴다고 말합니다. 인내라는 건 어쩔 수 없이 해야만 하는 일이라는 걸 포함하기에 결코 행복과 가까운 일이 아니라는 걸 알 수 있습니다.

지금 제가 하려는 이야기는 우리가 당연하다고 생각하는 인내가 결코 정답이 아니라는 것입니다. 물론 이러한 제 의견에 대한 반대도 인정합니다. 인내란 삶에서 어느 정도는 필요하기 때문입니다. 그리고 제 의견이 힘을 얻기 위해서는 타인에게 피해를 주지 않는 선의 기본적인 인내가 모든 개개인에게 있다는 가설이 필요하기도 합니다.

제가 말하는 인내가 필요 없다는 의견은 사회가 개인의 참지 못함을 공격하고 인내하는 것만이 잘사는 것처럼 포장하기 때문입니다. 제가 말하는 적당한 인내는 저런 포장에서 벗어난 인내를 말하는 것입니다.

어디에서든 즐거운 스트레스라는 게 존재합니다. 스트레스는 무조건 나쁜 게 아닙니다. 단 본인이 견딜 수 있다는 한도 내에서 필요합니다. 이러한 게 인내라는 것입니다. 제가 앞서 밤새 일을 했다고 했지만, 그건 즐거운 스트레스에 속합니다. 회사를 이끌겠다는 마음과 고객과의 약속을 지키는 게 제 할 일이라는 전제가 있기에 가능했던 일이었습니다. 그러나 이러한 제 욕심을 모든 직원들에게 감내하라고는 할 수 없습니다. 어디까지나 개인마다 다른 인내성이 존재하다는 걸 알아야 합니다.

제가 사업을 하면서 점점 더 매출이 오르고 있을 때였습니다. 유명 대형 치과에서 연락이 왔습니다. 우리와 거래를 하고 싶다는 연락이었습니다. 그리고 전속으로 구매할 테니 가격을 낮춰달라고 했습니다. 한 회사의 대표 자리에 있으면서 일에 대한 욕심은 당연합니다. 좋은 조건이라는 생각도 잠시, 일을 한다고 했을 때 생기는 또 다른 걱정이 밀려왔습니다.

대형병원이라는 특성상 안정적인 공급이 예상되는 건 당연했습니다. 그렇게 하면 자연스럽게 수익은 늘어날 게 뻔

했습니다. 그러나 병원에서 단서를 달았던 '가격을 낮춰 달라'는 부분이 영 찜찜했습니다. 물론 하는 일이 늘어났을 때 수익이 늘어나는 건 당연한 얘기겠지만, 낮은 가격으로 거래를 시작한다고 했을 때 수익보다 일만 더 늘어날 가능성이 컸기 때문입니다.

'거래를 통한 수익의 상승, 그러나 다른 곳과 비교했을 때 많은 수익은 안 난다.'

이런 부분을 생각하고 보니, 마이너스 되는 것들이 더 크게 다가왔습니다. 무엇보다 제일 큰 마이너스는 직원들의 노동 강도였습니다. 일이 늘어나면, 자연스럽게 직원들의 야근은 잦아지게 될 것입니다.

야근이라는 건 누군가에게는 가족들과의 소중한 저녁 시간을 빼앗는 일이었고, 또 다른 누군가에게는 개인이 발전할 수 있는 자기계발 시간을 줄어들게 하는 것이었습니다. 무엇보다 중요한 건 '치아'의 품질을 보장할 수 없게 될 수 있다는 점이었습니다. 그러한 결과가 예상되는 건 당연한 일이었습니다.

"우리는 모두 '상품을 만든다' 라는 생각이 아닌, '치아, 복을 만드는 기술자' 이다."

이런 말을 강조했던 제 입장에서는 더더욱 할 수 없는 일이었습니다. 많은 거래량을 약속했음에도 불구하고, 결국 거절했습니다.

싸게 많이 만들어서 이익을 내자는 건 우리들에게는 인정할 수 없는 이야기였습니다. 치과기공사들이 갖고 있는 올바른 인식을 지키기 위해서는 일에 대한 조절이 필요했습니다. 무엇보다 저는 회사의 역할이 최대 이윤이라고 생각하지 않습니다. 적당한 이윤과 직원의 최대 행복이 우리 회사의 목표라고 생각해왔습니다. 이 생각은 다른 회사들도 해야만 합니다. 최대 이윤을 지향하다가 잃는 것들은 대개 그 이윤으로도 살 수 없는 것들이기 때문입니다.

대부분의 회사나 대표들은 더 많은 일을 하고, 더 많은 노동을 감내하라고 합니다. 하지만 그에 따라 개인이 빼앗기는 많은 것들은 보지 않으려고 합니다. 특히나 치과기공사는 하나하나 손으로 집중해야 하는 치아의 일부분을 만듭니다. 환자의 입 안에서 오랜 시간 머물러야 하는 귀중한 치아를 허투루 만들거나, 지친 마음으로 만들 수는 없습니다.

살다 보면 감당할 수 없는 일이 있습니다. 그리고 그 일은 생각보다 자주 일어납니다. 가끔 사람은 어떤 일을 감당할 수 없을 때 심한 좌절을 하게 됩니다.

'왜 난 그 일을 해내지 못했을까…….'

우리는 해내지 못하는 일들을 많이 알고 있습니다. 내가 전문가, 기술자라고 하더라도 해낼 수 없는 일, 해내지 않아도 되는 일은 존재합니다.

저는 일을 이렇게 정의내리고 싶습니다.

'우리의 의식을 지킬 수 있는 한도 내에서, 개인의 발전적인 삶을 보존하는 내에서 할 수 있는 것.'

이렇게 생각했을 때, '감당해야만 하는 일'은 존재하지 않으리라 생각합니다.

거 꾸 로

걷 는

C E O

28 29 30 31 32 33

27

26

25

24

23

17 18 19 20 21 22

16

14

13

12

6 7 8 9 10 11

5

4

3

2

1

스물한 번째 질문

건망증도 좋지 않나요?

제가 사업을 하면서 가장 인상 깊게 들었던 말이 하나 있습니다.

"계획적인 실행자가 한 회사의 대표를 할 수 있다."

저는 개인적으로도 '꼼꼼한 계획자'와는 거리가 먼 사람입니다. 오히려 즉흥적인 면이 많다면 많을 수 있습니다. 그런 제가 회사를 이끌어야 한다는 건 어려운 일이었습니다.

저 말에 동의를 하면서도, 스스로 '나는 그렇지 않은 사람인데……' 라는 생각에 괜한 불안감이 마음 깊이 새겨지기도 했습니다.

그런 제가 한 회사의 대표로 일을 한다는 건, 많은 불안감과 걱정을 함께 안고 있는 일일 수도 있습니다. 하지만 한 회사의 계획이라는 건 오롯이 저 혼자만의 몫이 아닙니다. 여러 직원들과 이야기를 나누면서 계획을 세울 수 있고, 그 계획을 실행하는 건 '우리' 의 몫이 될 수 있는 것입니다.

어쩌면 꼼꼼한 계획자가 꼭 되어야만 한다는 건 틀린 말 같았습니다. 그 말에서 어긋난 저라도 크게 문제될 건 없어 보였습니다. 그런데 더 큰 문제가 있었습니다. 바로 제가 자주 '깜빡한다' 는 것이었습니다.

직접 치아를 만드는 데 있어서는 꼼꼼한 편인데, 회사 경영과 관련된 것이거나 개인적인 일에 있어서는 늘 잊어버리는 것이 있어 된통 당하곤 했습니다. 하지만 이러한 일로 회사 사정을 악화시키거나, 개인적으로 참을 수 없을 정도의 힘든 일을 겪게 된 적은 없었습니다. 그저 깜빡하는 바람에 작은 실수를 하거나 잊어버리는 약속이 종종 생겼을 뿐이었습니다.

조금 더 집중해서 많은 것들을 기억하려고 애쓰다 문득 이런 생각이 들었습니다.

'중요하지 않은 것들은 잊고 사는 게 더 낫지 않을까?'

사실 곰곰이 생각해보면 저의 이런 건망증이 오히려 저에게 도움을 준 적이 많다는 걸 느꼈습니다. 막상 건망증이 있는 사람이 대놓고 '건망증은 나쁘지 않아요'라고 말하면 스스로를 포장하려고 한다고 생각할 수도 있습니다. 그러나 건망증의 장점은 분명히 있습니다. 바로, 안 좋은 일도 금방 잊어버린다는 점입니다.

어릴 적 저를 놀려대는 친구들이 많지는 않았지만, 종종 있기는 했습니다. 신체적으로 약자였던 저에게, 그러한 놀림은 스스로를 위축되게 만들었습니다. 하지만 건망증 덕분에 그 위축감이 오래 가지는 않았습니다.

놀림거리가 됐다는 사실은 그저 순간의 감정으로만 끝이

났습니다. 그래서 저는 아직도 사람들이 "어렸을 때 짓궂은 친구들이 놀리기도 했겠어요"라고 물으면 그때를 떠올리기까지 시간이 꽤 걸립니다. 기억에 완벽하게 남아있는 그런 순간이 이미 오래 전에 사라져버렸기 때문입니다.

이러한 건망증, 깜빡하는 기억들 덕분에 저는 지금 건강한 정신을 가질 수 있었던 게 아닐까 생각하기도 합니다. 상처를 받는 것도 어차피 잊혀질 일이라 두려워할 필요가 없었습니다. 일을 하면서도 이런 건망증으로 평정심을 유지하기도 합니다.

치과기공소를 운영했을 때였습니다. 2년 넘게 거래하던 치과에서 결제를 차일피일 미루고 있었습니다. 크게 신경 쓰지는 않았지만, 꽤 큰 금액이 미뤄졌을 땐 병원에 묻기도 했습니다. 개인적으로 운영해나가고 있던 거라면 묻지 않을 테지만, 저는 많은 직원을 두고 있었고 그 직원들의 월급을 챙겨줘야 했기 때문이었습니다.

하지만 치과에서는 이전 때문에 어렵다는 말만 돌아왔습니다. 그리고 결제 금액에 못 미치는 적은 금액을 한 번 보내고는 다시 소식이 끊겼습니다. 그리고 계속해서 주문이

들어왔습니다. 어차피 계속 거래하는 곳이기에 다시 직원들과 열심히 보철물을 만들어 보냈습니다.

그러던 어느 날 갑자기 그 치과가 사라져버렸습니다. 사전에 치과를 정리하겠다는 가타부타 설명도 없었으니 매우 당황스러운 동시에 마음이 무거웠습니다. 결국, 당시로서 꽤 큰 금액을 받지 못했습니다.

그 돈을 못 받았다고 해서 직원들의 월급을 못 주거나 하는 불상사는 생기지 않았지만, '나와 내 직원들이 열심히 일한 대가를 받지 못했다'는 중압감이 밀려왔습니다. 그러면서 속이 부글부글 끓기도 했습니다. 주변에서는 얼른 신고해야 한다며 부추기기도 하고, 그 사람을 찾아서 받아주겠다며 성화였습니다.

저도 그럴 마음이었습니다. 어떻게 신고를 해야 하는지, 누구에게 치과 의사를 찾아달라고 해야 할지 고민을 했습니다. 그러나 신기하게도 며칠 지나자 별 생각이 들지 않았습니다. 나쁜 일을 금세 잊어버린 것이었습니다. 며칠 내내 앓았지만, 어차피 받지 못하는 돈이라는 걸 금세 깨달았던 것입니다. 그저 잠깐씩 그 일이 생각날 때마다 속으로 '타인의 마음을 아프게 한 사람은 그 어디에서도 마음 편하게 못 살 거야' 라는 말만 삼켰습니다.

지금 건망증이 나쁘지 않다는 걸 말하며 이런저런 사건을 떠올리면서도 왜 그렇게 나쁜 일들이 많았는지 싶기도 합니다. 없다고 생각했지만, 생각을 뒤져보니 남들만큼, 혹은 남들보다 더 많았을지도 모를 정도입니다.

다 잊고 살아서 참 다행이다 싶습니다. 다르게 말하면, 왜 사람들은 그렇게 많은 기억을 안고 수많은 상처를 가슴에 새기고 사는지 모르겠습니다.

세상에는 기억해야 하는 좋은 일들이 많습니다. 좋은 일은 기억해야 한다는 의식 없이도 우리들의 기억 창고에 남아있습니다. 그러다 어려운 일이 있으면 문득 한 번씩 튀어나와 마음을 위로합니다. 반대로 나쁜 일들은 계속해서 생각이 나고, 마음을 어지럽히기 일쑤입니다.

그렇다면 우리에게 필요한 건 나쁜 일을 잊는, 건망증이 아닐까요?

스물두 번째 질문

부모님 입속을 보신 적이 있나요?

저는 지금 부모님과 함께 생활하고 있습니다. 아직도 부모님 품에 있다는 건 쑥스럽기도 하지만, 부모님 나이가 더 많아지는 걸 곁에서 지켜본다는 것이 좋습니다. 요즘은 누가 누굴 품고 있다는 것보다 서로가 서로를 품고 있다는 생각이 더 깊어졌습니다.

저와 부모님의 관계는 다른 부모 자식 간의 관계보다 더 친밀합니다. 어릴 적부터 저를 신뢰해주신 것 때문에 그렇게 느끼는지도 모릅니다. 부모님은 제가 모르는 걸 많이 알려주신 선생님이자, 저의 선택을 응원해주시는 지지자이기도 했습니다.

저의 직업 특성 때문에 부모님과 더 특별한 관계라고 느끼기도 합니다. 보통 부모와 자식 사이에서 입안을 들여다보는 일이 흔하지는 않을 테니 말입니다.

부모님의 입안에는 제가 만든 보철물이 있습니다. 저는 부모님의 치아 상태가 어떤지 매번 관심을 가지고 들여다봅니다. 제 직업 특성상 당연하다고 생각하시겠지만, 직업이 치과기공사여도 그러지 않는 사람들이 더 많습니다. 직업적 관심이라기보다는 어디까지나 부모님에 대한 관심에서 차이가 나는 것일 뿐입니다.

사람들은 보통 나이가 들면 먹는 게 중요하다고 합니다. 발음도 치아에 따라 다르기도 합니다. 저는 무엇보다 부모님이 식사하시기에 편한 치아를 유지할 수 있게 매번 치아를 살핍니다. 무엇보다 중요한 기본적인 식욕이 건강하게 유지될 수 있도록 돕고 싶은 마음입니다. 그렇게 살피면서 때에 따라 직접 부모님의 보철물을 만드는 게 얼마나 뿌듯한 일인지 모릅니다.

저는 부모님께 많은 관심보다는 많은 사랑을 받았다고 생각합니다. 하지만 주변 사람들이 장애인 자식을 둔 부모님치고 너무 적은 관심을 준 건 아니냐고 묻기도 했습니다. 자식에게 관심이 적은 부모는 없습니다. 다들 동의하시리라 생각합니다. 다만 그 관심의 방향을 어떻게 설정하느냐에 따라 다르게 느낄 뿐입니다.

대학시절 혼자 자취를 했을 때였습니다. 하루는 이모가 찾아오셨습니다. 지나가다 들렀다는 이모와 함께 잠깐의 대화를 하고 문밖에서 배웅을 하던 찰나, 주인아주머니가 나오셨습니다. 그리고 이모의 뒷모습을 보더니 엄마냐고 물으셨습니다. 이모라고 답하자 주인아주머니는 엄마가 없냐고 하면서 측은해 하는 표정을 지으셨습니다.

얼토당토한 예측은 아니었습니다. 자취를 하면서 단 한 번도 어머니가 직접 제 자취방에 찾아오신 일이 없었기 때문입니다. 보통 자식이 혼자 살고, 게다가 몸까지 불편하다면 매번 찾아와 안부를 물어야 한다고 생각합니다. 하지만 그건 관심이 아닙니다. 그저 서로의 시간을 불편하게 할애하는 일일 수도 있습니다.

관심이라는 건 멀리에서도 느낄 수 있습니다. 게다가 부모와 자식 관계에서는 더더욱 말입니다. 저는 늘 멀리 떨어져 있어도 부모님의 사랑 안에 제가 있다고 믿었고 그건 사실이었습니다.

저는 부모님께 필요한 게 있는지 살뜰히 챙기는 편입니다. 혹시라도 불편한 게 있을까 많은 시간을 들여 고민하기도 합니다. 제가 이렇게 부모님을 생각하는 건 부모님이 할아버지, 할머니를 보살피는 걸 곁에서 직접 봐왔기에 자연스럽게 몸에 밴 덕분입니다. 그리고 가족, 특히 웃어른들에게는 잘해야 한다고 배워왔습니다.

제가 취직을 하고 따로 나가 살았을 때, 외할머니가 이모 댁에 계시다가 신태인에 있는 저희 집으로 오셨습니다. 외할머니는 연세가 많으셔서 거동이 불편하셨습니다. 어머니는 그런 외할머니를 위해 어떻게든 신태인에서 함께 지내고 싶어 하셨습니다. 그러나 문제가 있었습니다. 방이 부족했던 것입니다.

오래된 집인데도 가운데 난 마루가 넓었습니다. 어머니는 그 공간을 방으로 만들면 좋겠다고 혼잣말하셨습니다. 저는 어머니가 저를 대하는 모든 감정이 외할머니로부터 알게 된 것들이라고 생각합니다. 그래서 늘 외할머니를 어머니처럼 대했습니다.

어머니의 그런 바람을 듣자, 가만히 있을 수 없었습니다. 저는 적은 월급을 아껴 모은 목돈을 어머니께 드렸습니다. 이렇게 돈을 드렸다는 게 제 기억 속에서는 흐릿하기만 합니다. 어머니께서 가끔 "그때 경이 너한테 참 고마웠다"라고 말씀하실 때마다 기억이 날 뿐입니다.

그만큼 저는 그 돈이 크다는 생각을 안 할 정도로 가족에게 써야 할 돈이라고 생각했습니다. 부모님을 생각하고 존경하는 만큼, 할아버지와 할머니께도 잘해야 하는 건 당연한 일입니다.

그렇게 외할머니는 저희 집에서 편안하게 지내시다, 어머니가 지켜보는 가운데에서 임종하셨습니다. 어머니는 외할머니의 임종을 슬퍼하시면서도 끝까지 외할머니의 곁을 지켰다는 걸 다행으로 여기셨습니다.

세상에서 가장 '셈이 필요 없는 사이'는 바로 가족입니다. 어떤 친밀한 관계 속에서도 분명 있을 수 있는 일이지만, 가족이라면 생각할 시간조차 필요 없습니다. 가족이라는 이름은 분명 그런 힘이 있는 존재입니다.

어쩌면 저는 부모님의 속을 상하게 만드는 딸이었을지도 모릅니다. 상의 없이 회사를 관두고, 회사를 차리고 건물까지 지어버렸으니 말입니다. 하지만 이렇게 일을 저지른 다음에 부모님께 말씀드린 건, 그만큼 부모님이 나를 지지하실 거라는 믿음이 강했기 때문입니다. 그때마다 놀라실 부모님께 제 생각을 말씀드리는 게 조금 어렵기는 했지만, 늘 "네 선택이니까 믿는다"라는 말이 돌아왔습니다.

사실 말로는 늘 부모님 생각이지만, 다른 사람들처럼 일에 쫓겨 많은 시간을 함께 보내지 못했습니다. 그래서 여유가 생길 때마다 꼭 부모님과 함께 시간을 보내려고 노력합니다.

특히 언니, 어머니와 함께 교회에 가는 주일 아침에는 제가 직접 어머니의 머리칼을 정돈해드립니다. 그때마다 어머니는 "우리 집 미용실 원장!"이라며 즐거워하십니다. 그렇게 주일 예배가 끝나면 꼭 함께 장을 보며 하루를 정리합니다.

시간을 따로 낸다는 건 사회생활을 하는 모든 사람에게 어려운 일입니다. 그러나 같이 움직이고 대화를 한마디라도 더 하는 것만으로도 부모님은 좋아하십니다. 효도는 멀리 있는 게 아닙니다.

함께 시간을 보내면 부모님의 취향도 자연스럽게 알게 됩니다. 이 취향 때문에 퍽 섭섭한 일도 있었습니다.

어머니나 아버지 옷은 제가 사드리는 편입니다. 예전에 월급을 받아 생활했을 때, 아버지께 옷을 선물 드린 적이 있었습니다. 제 딴에는 꽤 비싼 옷이었습니다. 월급의 반이나 되는 금액이었으니 말입니다. 그런데 우연히도 동생이 사온 옷이 제가 사온 옷과 완전히 같은 모양이었습니다. 주머니의 위치까지 아예 똑같은 옷이었지만, 보온성이 달랐습니다. 동생이 사온 점퍼에는 오리털이 들어있었고, 제가 사드린 옷에는 일반 내피가 들어있었습니다.

아버지는 이상하게도 외출하실 때면 제가 사드린 점퍼는 쳐다도 안 보시고, 동생이 사온 점퍼만 입었습니다.

'아무리 알맹이가 달라도 그렇지…….'

이런 생각에 섭섭한 마음이 들었지만, 추운 겨울 더 따뜻한 옷을 찾는 건 당연한 일이기도 했습니다. 그럼 제가 사드린 옷은 어떻게 됐냐고요? 그 옷은 막내 동생이 수학여행 때 입고 나갔다가 산에서 잃어버렸습니다. 저는 그 옷이 아버지에게 맞지 않아 산신령이 입고 간 거라고 생각하며 재미있게 믿기로 했습니다.

어머니도 마찬가지입니다. 제 눈에 아무리 예뻐 보이는 옷이라 해도, 어머니는 본인의 마음에 안 들면 입지 않으십니다. 이러한 두 분의 취향을 알게 되자, 옷을 살 땐 늘 같이 가게 됐습니다. 이러한 작은 취향도 함께 보내는 시간이 많아야만 알 수 있습니다.

여러분은 부모님의 입안을 들여다보듯이 작은 취향에도 신경 쓴 적이 있나요? 물론 어려운 일입니다. 효도라는 말이 멀게만 느껴질 때도 있습니다. 하지만 하나하나 챙겨드린다고 생각하지 말고, 아침 인사만이라도 한 마디 더 하는 것. 그게 바로 행동하는 효도가 아닐까요?

스물세 번째 질문

도전을 해보신 적 있나요?

지금까지 제가 만난 치과기공사들은 수도 없이 많습니다. 오랜 시간 직장생활을 했고, 회사를 운영했으니 당연한 일입니다. 저는 동료나 직원들에게 늘 강조하는 말이 있습니다. 기회가 없어도 도전을 하라는 이야기입니다.

도전이라는 말이 얼마나 아득하게 느껴지는지 저도 분명히 알고 있습니다. 그러나 도전을 하지 않는 삶은 정지해 있는 것과 같습니다. 도전의 필요성과 어려움을 알아차렸을 때 이런 생각을 하게 됐습니다.

‘그럼 내가 도전을 만들어주는 사람이 되어보자.’

회사 대표가 되고나서는 이 생각이 더 굳어졌습니다.

‘꼼꼼한 계획자가 될 수 없으니, 도전의 발판을 만들어 주는 대표가 되자.’

때에 따라서 가능성을 가진 직원들에게 기회를 줘야합니다. 그 직원이 미처 발견하지 못했던 능력이나 가능성을 살피는 것도 대표의 역할입니다.

익산에서 치과기공소를 운영할 때, 같이 일하던 친구가 있었습니다. 치과기공사라는 직업으로 처음 사회에 나온 그 친구는 서툴고 부족할 수밖에 없었습니다. 실수가 계속 쌓이다 보면, 곁에서 지켜보는 사람도 지치기 마련입니다.

“대표님, 저는 이 일이 안 맞는 것 같아요. 아무래도 관두는 게 나을 것 같아요…….”

“그럼 다른 하고 싶은 일은 있어요?”

"그건 아니지만……."

물론 잦은 실수에 사수들의 불만이 많았을 때라, 그 친구의 의견을 들어주는 것도 서로에게 좋은 일일 수 있었습니다. 그러나 제가 봤을 때 그 친구는 조금씩 서툴게나마 실력이 나아지고 있었습니다. 그리고 무엇보다 잘 안 되는 일, 어렵고 고된 일도 오랜 시간을 들여 만들어 나가는 성실한 친구였습니다.

그 친구에게는 '성실'이 가능성이었던 셈입니다. 저는 그 친구가 치과기공사라는 직업에 도전했으면 하는 바람을 갖게 됐습니다. 성실이라는 무기가 있으니 조금만 더 시간을 갖고 기다려주는 게 대표의 역할, 사회 선배로서의 역할이기도 했습니다.

결국, 그 친구는 저희 회사에서 함께 일하는 동료로 여전히 남아있습니다. 제가 사람 보는 눈이 있었는지, 지금은 베테랑 중에 베테랑이 되어 후배들을 가르치며 회사의 많은 일을 소화해내고 있습니다.

일이 많을 땐 그 어떤 불만도 없이 스스로 야근까지 해내니, 대표로서 한 선택에 만족할 수밖에 없습니다. 회사 일을 성실히 한다는 것보다 스스로가 만족할 때까지 해내려고 하는 것. 그것에 대한 만족이었습니다.

이렇게 성실한 친구가 있는 반면에 약간 귀여운 친구(?)도 있습니다. 하루 일정을 정리하고 나면 꼭 입이 나와서는 한마디를 거들곤 했습니다.

"대표님, 그건 말이 안 돼요. 일이 너무 많잖아요."

일이 많아 직원들의 개인 시간을 뺏는다는 건 저로서도 굉장히 미안한 일입니다. 하지만 이렇게 매번 많다고 투덜대는 친구들이 예쁘게만 보일 리는 없습니다. 하지만 그 친구들이 다시 예뻐 보이는 이유는 다른 게 아닙니다. 아무리 그래도 제 몫의 일을 해내기 때문입니다.

불만을 드러내는 직원을 좋아하는 사람은 아무도 없습니다. 하지만 사람마다 성격의 차이가 있고, 드러냄과 안 드러냄의 차이가 있다는 걸 존중합니다. 만약 그 친구가 투덜거리는 말과 함께 일도 제대로 하지 않는다면, 저로서는 회사에 함께 있을 수 없다고 느끼게 됐을지도 모릅니다. 하지만 그 친구의 가능성은 '맡은 일은 한다'라는 거였습니다. 그렇게 투덜대던 친구도 벌써 8년 동안 함께 유경덴탈워크를 지키고 있습니다.

무엇보다 중요한 건 사람의 됨됨이입니다. 하지만 한눈에 됨됨이를 알 수 없으니 오랜 시간 곁에서 지켜보는 게 중요합니다. 개인적인 감정이 뒤섞이면 좋은 것도 나쁘게, 나쁜 것도 좋게 생각할 수 있으니 더더욱 오랜 시간이 필요합니다. 사람들과 지내다보면 알겠지만, 그 어떤 사람도 오랜 시간 지켜보면 나빠 보일 수 없습니다. 다만, 장점과 단점이 확실하게 보일 뿐입니다. 저는 무엇이든 장점을 더 이끌 수 있는 분위기를 만들어주면 모두에게 도전을 심어줄 수 있고, 기회를 만들어 줄 수 있다고 믿습니다.

지금까지 운이 좋아 실력 있는 직원들과 함께 회사를 지키고 있지만, 그들의 실력이 지금처럼 만들어지기까지는 여러 사람들의 칭찬과 기다림이 있었습니다.

질문을 다시 바꿔서 물을 수도 있을 것 같습니다.

"누군가에게 도전을 만들어주신 적이 있나요? 아니면,

누군가의 도전을 응원하고 기다려준 적이 있나요?"

누군가에게 기회를 주는 건 큰일을 맡기라는 게 아닙니다. 그리고 절대 독촉하라는 것도 아닙니다. 상대가 시간을 갖고 자신이 할 수 있는 일을 찾을 때까지 곁에서 기다려주는 것 또한 하나의 기회입니다.

스물네 번째 질문

멋진 일을 하고 있나요?

멋진 일은 대체 무엇일까요? 우리가 역사책에서 본 사람들, 큰일을 해낸 사람이 멋진 일을 한 사람일까요? 아니면 여러 사람들이 말하는 '좋은 직업'을 가진 사람이 멋진 일을 하는 사람일까요? 해석은 개개인마다 다를 거라고 생각하지만, 저는 제 직업을 통해 멋진 일에 대해서 말해보고자 합니다.

여러분 주변에는 치과기공사가 있나요? 그들은 자신이

하는 일을 어떻게 평가하나요? 사람마다 약간 다르겠지만, 저와 제 주변 사람들을 봤을 땐 전부 자부심을 갖고 있습니다.

치과기공사를 바라보는 사람들의 의식은 어떨까요? 경험에 비추어봤을 때, 아쉽게도 저희가 갖고 있는 자부심과는 정반대의 생각을 하시는 분들이 조금 더 많았습니다. 그저 사람들의 입안에 들어가는 대체품을 만든다고만 생각합니다. '치아를 대신하는 보철물'이라고 말하면서 크게 중요하지는 않다고 생각하는 사람이 대다수일 것입니다.

입안에 있는 치아 하나는 굉장히 작습니다. 하지만 그 하나가 흔들리기 시작하면, 전체 치아가 다 흔들리는 기분을 느끼고 머리까지 아플 정도로 괴로움을 느끼게 됩니다. 물론 입안에서 아픈 치아를 찾아내고 그 부분을 치료하는 건 의사이지만, 치료된 곳을 깔끔하게 마무리 할 수 있도록 치아를 만들어 주는 것은 바로 치과기공사입니다.

저는 이런 제 직업을 사랑하고 늘 멋진 일이라고도 생각합니다. 꼭 제 직업뿐만이 아닙니다. 그 어떤 일을 하더라도 각자의 위치에서 일을 해내는 것만으로도 저는 멋진 일이라고 생각합니다.

제 직업이 지니고 있는 복이 대단하다고 생각하는 건, 조물주가 만들어준 치아를 대체할 수 있는 형태로써 다시 만들어내기 때문입니다. 저는 치아 자체를 '복'이라고 칭합니다. 그 복이 썩거나 부러졌을 때, 사람들은 불편하다는 걸 바로 느낍니다. 그러한 치아를 대신할 보철물은 조물주가 아닌 저희가 만들고 있습니다. 사람이 만든 그 작은 것만으로도 건강하게 밥을 먹을 수 있고, 아픔을 줄일 수 있다는 게 그저 신기할 뿐입니다.

치아의 형태는 조금 오묘하게 생겼습니다. 공부하면 할수록 오묘하다는 생각을 많이 합니다. 치아의 모양은 사람마다 다릅니다. 사람의 버릇에 따라 바뀌면서 자라왔기 때문입니다. 그 개별적으로 다른 형태를 맞춘다는 것 또한 직접 만들고 있는 제가 봐도 놀랍다고 생각합니다.

어느 날 거래처 치과 원장님이 고맙다는 말을 전해주셨습니다. 대부분 환자들이 음식을 잘 씹을 수 있게 돼서 감사하다는 말을 했다는 것입니다. 칭찬이 고래를 춤추게 만들 듯, 이러한 말들은 저라는 기술자를 힘나게 만들고는 합니다. 또한 저의 직업을 대단하고 멋진 일로 만들어줍니다.

사람들은 왜 하필 치과기공사라는 직업을 선택했냐고 물어봅니다. 글쎄요. 저도 이제 와서 생각하면 의문이기는 합니다. 처음부터 하고 싶었던 일은 아니었습니다. 그저 멋모르고 시작했습니다. 전혀 알 수 없는 일이었지만 손재주 덕분인지 만드는 즐거움이 뒤따라왔고, 그다음으로는 사람들에게 필요한 일을 한다는 자부심으로 지금까지 이어져 왔습니다.

저도 초반에는 일을 제대로 마무리 못하기도 했고, 제대로 된 보철물을 만들기까지 많은 시간이 필요했습니다. 하지만 점점 손에 익숙해지자 야무지게 일을 잘한다는 칭찬까지 들었습니다. 그러면서 이 직업이 갖고 있는 매력에 깊이 빠져들었습니다.

다시금 제 일이 멋지다고 생각하는 건, 치아를 대신할 보철물을 만든다는 것과는 별개입니다. 이렇게 오래 일을 하다 보니, 직업적으로 남을 도울 수 있다는 것 외에 다른 것도 도움도 줄 수 있기 때문입니다.

우리 회사에는 방학마다 실습생이 옵니다. 그해 겨울에

도 어김없이 실습생 5명이 찾아왔습니다. 실무를 익히는 학생들의 얼굴에서 수십 년 전의 제 얼굴을 찾을 수 있었습니다. 그들에게 어떻게든 더 도움을 주고 싶어 옆에서 하나하나 알려주었을 때였습니다. 한 학생이 말했습니다.

"대표님, 너무 감사해요."

처음에는 일을 잘 알려주어서 그런 줄만 알았습니다. 더 열심히 하면 실력이 늘어날 것이라 격려해주었습니다. 그런데 고마운 이유는 그게 아니었습니다.

"제가 '유경덴탈워크'에서 장학금을 받고 있어요. 덕분에 학교생활을 참 편하게 하고 있어요."

몇 해 전부터 학교에 회사명으로 장학금을 전달했는데, 실습을 온 학생 중 한 명이 저희 회사에서 주는 장학금을 받고 있었습니다. 그리고 그 학생은 덧붙여 이런 말을 남겼습니다.

"저 졸업하면 꼭 여기에 취직하고 싶어요."

학생 앞에서 어떤 표정을 지어야 할지 모를 정도로 기분이 좋았습니다. 일을 통해서 누군가를 돕는다는 것 외에 한 학생이 꿈을 꿀 수 있도록 만들어준 제 직업이 더 멋지게 느껴졌습니다.

멋진 일이란 꼭 모든 사람에게 부러움을 받는 일이 아닙니다. 스스로 만족하는 것만으로도 멋진 일이라고 할 수 있습니다. 괜한 욕심으로 내가 할 수 있는 일 이상을 꿈꾸는 것은 미련한 일일 수도 있습니다.

내가 서 있는 자리를 더 자랑스럽게 생각하고 누군가를 돕고 있다고 생각해보세요. 그렇다면 멋진 일을 하는 스스로가 전보다 더 멋지게 느껴질지도 모릅니다.

스물다섯 번째 질문

행운은 존재할까요?

제가 책의 시작 부분에 한 말이 기억나시나요? 제 첫 번째 행운은 소아마비라는 병에서 싸워 이긴 거라고 했습니다. 무척이나 어린 나이였기에 제가 직접 병과 마주해 싸웠다는 기억은 없습니다. 하지만 병으로 인해 생긴 장애에도 불구하고 많은 일들을 해결해나갔고, 다양한 사람들이 좋은 세상을 바라볼 수 있는 기회를 만들었다는 사실이 행운이라고 생각합니다.

사람들은 종종 '운칠기삼'이라는 말을 씁니다. 저는 이 말이 저에게 어울린다고 생각합니다. 물론 운이라는 것은 복불복입니다. 내 노력에 따라 들어오는 게 아니라, 노력 없는 사람에게 가고 노력을 한 사람에게는 돌아가지 않을 수도 있습니다. 하지만 한 가지 믿는 게 있습니다.

'모든 운은 나 자신이 그 운이 올 것이라고 믿고, 노력할 때 온다.'

그리고 이 믿음은 상대를 진심으로 배려하고 사랑할 때야 비로소 얻을 수 있다고 믿습니다. 스스로만을 향한 믿음과 사랑은 이기심으로 번지는 경우가 더 많기 때문입니다.

저는 중학교에서 대학교까지 다닐 수 있던 것만으로도 굉장한 행운이라고 생각합니다. 그 많은 일들을 할 수 있었던 건 주변의 도움이 컸습니다. 주변에 날 도울 수 있는 사람이 있다는 것만으로도 큰 행운일지도 모르겠습니다.

상대를 진심으로 배려하고 사랑할 때 행운이 온다고 믿는 이유는, 제가 무엇보다 상대의 배려를 통해 제 행운을 키워왔기 때문입니다. 지금도 제게 있어 무엇보다 가장 큰 행운이 인복이라고 생각하고 있습니다.

세상에는 좋지 않은 사람도 있다는 말을 종종 들었습니다. 그리고 제가 살면서 겪었던 상처와 아픔을 돌아보면 늘 그러한 사람들이 존재하는 것처럼 보이기도 합니다. 그러나 저는 제 주변에는 다 좋은 사람만 있다고 믿고 있습니다.

지금 제 곁에서 일하는 직원들과 거래하는 치과병원, 다양한 그룹에서 함께 활동하는 사람들까지…… 그 많은 사람들을 통해 제가 이 자리까지 왔기에 늘 행운이 가득합니다. 제 노력으로 많은 것을 얻었다고 생각하다가도 주변의 얼굴들을 떠올리면, 역시 주변의 덕이 컸다는 결과에 다다르게 됩니다.

사람이라면 누구에게나 아픔이 존재합니다. 그러나 이겨낼 수 있을만한 아픔이라는 걸 느낀 적도 있을 것입니다. 적절한 시기에 그 상황을 이겨내도록 도와주는 적절한 사람을 만나기도 합니다. 태어나 지금의 가족을 만나게 되었던 것, 처음 사업을 시작할 때 친구를 보내준 것까지. 저는 다양한 사람을 통해 행운을 얻었습니다. 하늘에서 아픔을 이길 수 있는 사람을 보내주셨으니 그다음은 제가 이끌어 나가야 합니다.

하지만 무작정 바라기만 하는 행운은 스스로를 결국 불행의 늪으로 이끌고 말 것입니다. 행운이라는 단어에 얽매어 계속해서 바라기만 하진 말아야겠습니다. 행운이 행운을 끌어오고, 사람이 사람을 끌어오듯 나도 누군가에게 행운인 사람으로 남아있어야 합니다.

첫 직장 사장님은 늘 저에게 복덩이라고 했습니다. 일감을 몰고 다닌다는 소릴 들을 정도로 제가 일을 시작하기만 하면 일이 쏟아졌습니다. 속으로는 불만이 움트기도 했습니다.

'아니, 왜 내가 일을 시작하기만 하면 일이 늘어나는 거지?'

속으로는 푸념했지만, 곧바로 그걸 축복이라고 여겼습니다. 천성적으로 일복이 많은 사람으로 태어나, 할 수 있는 일을 찾고 누군가에게 도움이 되는 사람이 되게 만들어주었으니 말입니다.

행운은 믿는 방식에 따라 다르게 오는 것 같다고 생각

합니다. 굉장히 큰 행운을 바라는 사람은 평생 행운의 꽁무니도 보지 못할 수 있습니다. 그러나 작은 것에도 감사하고 바라기만 하는 게 아닌, 남에게 행운을 만들어 줄 수 있다는 믿음이 있는 사람에겐 행운이 도처에 있습니다.

모두 다르게 생각하겠지만, 제가 생각하는 분명한 건 행운은 늘 '손바닥 안'에 있다는 것입니다. 손에 쥔 채 다른 곳을 바라보지 말고, 손바닥을 펴서 상대의 손을 잡듯 행운을 사용해보세요.

스물여섯 번째 질문

꿈이 무엇인가요?

사람에게 어떤 목표가 있다는 것만큼 아름다운 건 없습니다. 실제적인 목표가 있는 사람도 있고, 구체적이지 않은 목표를 가진 사람도 있습니다.

저에게도 확실한 목표가 존재합니다. 지금의 자리에서 더 멋진 회사를 만드는 것입니다. 저는 현실을 잘 알고 있습니다. 우리나라에서 꽤 규모 있는 치과기공소를 운영하고 있지만, 국내 치과기공소의 현실상 사업의 규모가 확장되기 어렵다는 사실을 말입니다. 그러나 이 한계를 극복하고 더 발전할 수 있는 회사를 만드는 것, 그것이 제 실제적인 목표 지점입니다.

그다음으로 무엇보다 바라는 건 제가 없어도 잘 돌아가는 회사가 되는 것입니다. 이건 목표가 아닌 제 첫 번째 꿈이라고도 말할 수 있습니다. 누구에게나 조금 더 자유롭고 싶은 욕심이 있을 것입니다. 저 또한 마찬가지입니다. 지금은 여러 모임에도 참석하고 전보다는 여유로운 생활을 한다고 하지만, 제 나이가 쉰 살이 되기 전까지는 여유라는 건 마치 제 삶에 없는 것만 같았습니다. 멈추지 않고 일을 하는 게 제 복이자, 어떤 사명처럼 느껴지기도 했습니다. 하지만 지나고 보니 적절하게 쉬는 타이밍도 삶에 있어 중요하다는 걸 알게 됐습니다.

'허망하다'는 말을 읊조리는 중년에 접어든 사람들을 보자, 제 자신도 허망하다는 생각에 사로잡힐까 두렵기도 합니다. 하지만 현실적인 목표와 스스로 이룰 수 있는 꿈을 함께 만들어 간다면 절대 허망하다는 말은 안 나오지 않을까요?

꿈과 목표가 중요하다고 생각하면서 저는 먼저 제 직원

들을 떠올렸습니다. 그들이 저보다 먼저 실질적인 목표와 꿈을 이룰 수 있도록 돕고 싶었습니다. 그래서 직원들과 함께 보람을 느낄 수 있는 일을 찾아보게 되었습니다. 자신을 잘 돌보면서 보람을 느끼면 목표와 꿈이 생길 수 있으니 말입니다.

매번 책상에 앉아 애꿎은 책상만 두드리거나, 별생각 없이 누워서 별자리를 헤집듯 구상만 하는 건 불필요한 일이었습니다. 저는 생각하자마자 시도할만한 일을 찾게 됐습니다. 첫 번째로 시도한 일은 직원들의 작품 전시회였습니다.

저희는 치아에 맞는 보철물을 만듭니다. 그리고 저희끼리는 그것을 제품이나 상품이 아닌 '작품'이라고 말합니다. 그저 우리끼리의 농담처럼 주고받던 작품이라는 말을 살리기로 했습니다.

각자 작품을 만들고 멋진 장소에서 전시회를 하기로 했습니다. 각자의 생각으로 작품을 구상하고 직접 손으로 만들기까지 한다면, 그리고 완성된 작품을 전시까지 한다면 조금 더 직업적 사명감을 가질 수 있지 않을까 했습니다. 이러한 기대를 품고 직원들끼리 결속력을 다질 겸 전시회 계획을 추진했습니다.

아무리 계획과 의도가 좋다고 해도 직접 참여하는 직원들도 저와 같은 마음이 들어야 한다는 생각에 일정을 조급하게 잡지는 않았습니다. 지금 제 작은 목표 중 하나는 쏟아지는 업무 속에서도 직원들이 여유롭게 전시회 참여를 즐길 수 있도록 내년까지 전시회를 마무리 짓는 것입니다.

꿈과 목표를 다양하게 생각하다 보면, 여러 가지가 생기기 마련입니다. 저에게는 또 다른 꿈도 있습니다. 사소해서 다른 사람에게 말한 적도 없는 꿈입니다. 굳이 개인의 꿈을 누군가에게 보여주기 식으로 크게 부풀릴 필요는 없지만, 제 꿈은 무척이나 소소합니다.

첫 번째는 음식을 제가 직접 만들어서 가까운 사람들이나 직원들과 야외로 놀러 나가는 꿈입니다. 그리고 두 번째는 아무 것도 안 한 채 가만히 멍하게 있는 시간을 갖는 것입니다. 세 번째는 꿈이라기보다는 제 건강을 위해서 운동을 하는 것입니다.

밝힌 대로 무척 소소한 일이지만, 오랫동안 할 수 없었던 일들이고 앞으로도 하기 어려울 지도 모르는 것들이니 꿈이라고 말할 수밖에 없습니다.

이렇게 꿈을 얘기하다 보면 취미와 가까운 일을 찾기도 합니다. 저는 사람들이 취미를 물어오면 늘 같은 대답을 합니다. 바로 노래와 책 읽기입니다. 이 취미조차 지금은 즐길 수 없는 게 현실입니다. 늘 제 앞에는 다양한 일들이 앞서있기 때문입니다. 그러다보니 주말에도 가만히 앉아 이 생각 저 생각을 나열하다 보면 시간이 훌쩍 지나가버리고, 금세 교회 가는 시각이 돌아와서 예배드리는 하나의 생활 패턴을 이어나가게 됩니다.

어느 날 텔레비전에서 인도네시아로 여행 간 한 여행객이 현지인들과 헤어지는 걸 힘들어하는 장면이 나왔습니다. 문득 곁에 있는 아버지는 어떤 생각을 하고 계시는지 궁금했습니다.

"아버지는 저런 데 다니고 싶지 않으세요?"
"난 이제 힘도 없고, 별로……."

아버지의 말은 텔레비전 속 장면을 아예 겪고 싶지 않다는 것과는 달랐습니다. 그저 지금의 현실로서는 어렵다는 답변이었습니다. 그리고 생각했습니다.

'나는 저런 감정과 느낌을 갖고 싶기는 한데… 더 나이가 들면 정말 어려운 일이 될까?'

누구나 그러하듯 저도 한 번쯤은 외국에서 살고 싶다는 마음이 있습니다. 새로운 걸 보고 새로운 사람을 만나고 싶은 마음은 누구나 꿈꾸는 일일 것입니다. 그래서 한 가지 꿈이 더 생기게 됐습니다. 바로 더 늦기 전에 제가 하고 싶은 꿈을 다 이룰 수 있는 시간을 만드는 것입니다. 이럴 땐 조금 더 구체적이면 좋습니다. 저는 앞으로 10년만 현장에서 일하고, 그다음은 조금 덜 일해야겠다고 계획을 세웠습니다.

지금도 여전히 제가 꿈꾸는 삶은 실제적인 목표와 떨어져 있습니다. 사실 자유인에 가깝다고 느낄 정도입니다. 그러나 실제적인 목표도 하나의 꿈이라는 것을 명심해야 합니다. 이루고 싶은 것도 설정해야 현실과 꿈에서 길을 잃지 않을 테니까요.

이렇게 글을 쓰며 여러분들에게 꿈에 대해 설명하면서도 가슴이 뛰는 걸 느낍니다. 꿈을 이룰 수 있도록 노력할 테지만 잘될지는 모르겠습니다.

꿈이 있다는 건, 어떤 것을 실현해야만 한다는 압박일 수도 있습니다. 그러나 '내가 하고 싶은 일'에 대한 압박은 얼마나 기분 좋은 압박일까요.

스물일곱 번째 질문

사랑하는 마음을 갖고 있나요?

그런즉 믿음, 소망, 사랑 이 세 가지는 항상 있을 것인데 그중에 제일은 사랑이라

– 고린도전서 13장

여러분도 사랑이 제일이라고 생각하시나요?

사랑이라는 단어를 얘기할 때 대부분 연인의 관계를 많이 떠올립니다. 하지만 그건 사랑이라는 단어가 안고 있는

극히 일부분의 이야기일 뿐입니다. 동료와의 관계, 옆집 누군가와의 관계 혹은 내가 기르는 애완동물과의 관계에도 사랑은 존재합니다. 그건 내가 나 외의 누군가를 진심으로 생각한다는 관점으로 형성된 감정입니다.

사랑이 제일이라고 말하기는 하나, 온전한 '사랑' 자체로 살아남기 위해서는 이타적인 마음이 필요합니다. 그러기에 가장 어렵기도 합니다. 스스로를 뒤로 미루기란 어려운 일이기 마련이니까요.

살다 보면 다양한 사람들과 마주해야 합니다. 타인과 완벽하게 분리된 삶은 있을 수 없습니다. 그렇게 타인과 섞인 사회에서는 간혹 크고 작은 문제들이 생기기 마련입니다. 한집에서 부딪히며 살아온 가족도 서로 이해하기 힘든데, 서로 개별적으로 살아온 사람을 이해하기란 더 어려운 일입니다. 하지만 생각을 조금만 바꾸면 어려운 게 아닙니다.

저는 늘 아침마다 기도를 하면서 한 가지를 떠올리곤 합니다.

'오늘도 사랑이 있는 하루가 되게 해주세요.'

늘 상대를 사랑하는 마음으로 대할 수 있는 준비를 마치는 셈입니다. 사랑 없이는 상대에 대한 이해심이 깊어질 수 없습니다. 이해심이 생기면 당연히 이타심이 생기고, 관계가 더 끈끈해질 수밖에 없습니다. 자연스럽게 믿음이 생기는 것이죠.

특히 사업을 하면서 사랑이라는 게 얼마나 중요한지 다시금 상기했습니다. 사업은 유지도 중요하지만, 발전하는 것도 게을리 할 수 없습니다. 사업을 확장할 때, 가장 중요한 건 관계입니다. 직원 간, 거래처 간에 생기는 효과에 대한 믿음입니다. 이 중요한 관계와 믿음을 지키기 위해서는 사랑이 얼마나 중요한지 모릅니다.

간혹 어떤 사람은 돈에 목적을 두기도 합니다. 하지만 저는 확실하게 말할 수 있습니다. 돈에만 목적을 둔 사업 확장은 분명 실패할 가능성이 높다고 말입니다. 사업은 상대와 나의 사랑이 오래 지속되기를 바라는 마음으로 함께하는 것입니다. 제가 상대를 사랑하는 만큼 보철물을 잘 만들면, 거래처 치과 원장님이 다른 환자들에게 인정을 받게 됩니다. 그러한 마음으로 보철물을 만드는 건 기본 중에 기본입니다. 그리고 실무를 하는 직원들도 저와 같은 마음으로 일하게 하는 건, 계속해서 '나처럼 일을 하라'고 강조한다고 해서 되는 게 아닙니다. 직원들 또한 같은 마음으로 사랑하는 것. 이게 가장 효과적인 방법입니다. 그렇게 한다면, 저 또한 직원들에게 사랑받는 대표가 되지 않을까요?

어느 날 거래처 치과에 들렀을 때 이야기입니다. 원장 선생님이 뜬금없이 제 은퇴에 대해 물었습니다.

"유경 대표는 언제 은퇴해?"
"갑자기 그건 왜요?"
"우리 병원 상담 고문으로 고용하려고 그랬지."
"그럼 월급은 주시는 건가요?"

우스갯소리였지만, 기분 좋은 말이었습니다. 그만큼 저를 신뢰한다는 이야기였고, 우리의 관계가 이타적으로 유지되고 있다는 걸 단번에 알 수 있는 말이었기 때문이었습니다. 제가 상대를 사랑하는 마음이 제대로 전달된 것만 같았습니다.

아무 조건 없이 상대를 생각하고 사랑한다고 믿어보세요. 그렇게 했을 때 본인에게 돌아오는 건, 똑같은 사랑이 될 것입니다.

스물여덟 번째 질문

서 있는 자리를 두드려 본 적이 있나요?

처음 창업을 할 때 직원은 두 명이었습니다. 그리고 시간이 흘러 이제는 50명의 직원이 저와 함께 일하고 있습니다. 나름 치과기공소 업계에서는 대기업 수준이라고 말할 수 있습니다. 직원이 늘어나다 보니, 더 넓은 공간이 필요했고 무리를 해서 사옥을 지었습니다. 어느 날 지인 한 분이 사옥을 구경하겠다며 방문했습니다.

제 사무실에서 함께 차를 마시는데, 책상 위를 두리번거리더니 물었습니다.

"대표님, 혹시 명패는 따로 안 두셨어요?"

제 책상에는 그저 업무적인 것들만 쌓여있을 뿐 딱히 명패라고 부를만한 것이 없었습니다.

"네. 별로 필요 없을 것 같아서요. 그동안도 없었고, 앞으로도 계획은 없어요. 그거 있어봤자 책상 자리만 차지하는 거 아닌가 몰라요."

직원들은 어차피 제 이름을 알고 있으니 딱히 필요할 것 같지 않았습니다.

"네? 그래도 반듯한 명패는 하나 두셔야죠. 그거 주문하면 금방 나와요. 제가 하나 선물해드릴게요."

저는 극구 사양했습니다. 하지만 며칠 뒤, 제 책상에는 기어코 크리스털 명패 하나가 올랐습니다. 사실 그 자리에 있는 제 이름에 큰 의미를 부여하지는 않았지만, 막상 반짝 반짝 빛나는 명패를 보니 기분이 좋아졌습니다. 한편으로는 쑥스러운 마음이 들어 직원들에게는 따로 말하지 않았습니다. 그러나 직원 한두 명이 제 방에 들어와 명패를 발견하게 됐습니다.

"대표님, 이거 언제 만드셨어요? 역시 명패가 있어야 해요."
"에이, 그냥 전에 누가 선물 주셨어. 주신 거니까 써야지."
"이제야 진짜 대표님 같으세요."

쑥스러운 제 맘은 모른 채, 저보다 더 기뻐하는 직원들이었습니다. 저는 명패를 찬찬히 들여다봤습니다.

'대표이사 유경'

고작 여섯 글자였는데, 그 글자를 계속 어루만지게 됐습니다. 그저 제 자리에 대한 직책과 이름뿐인 명패였는데, 이게 얼마나 큰 의미였던 걸까요? 제가 그때 느낀 기쁨은 목표점이 더 명확해졌다는 데에서 온 감정이었습니다.

저는 평소에도 직원들에게 누누이 얘기했습니다.

"일반인도 알 수 있을 정도로 튼튼한 치과기공소를 만들고 싶습니다."

튼튼하다는 말은 자본이 우수한 회사를 말하는 게 아니었습니다. 우리가 하고 있는 일의 가치를 일반인들도 알 수 있을 정도로 알려졌으면 했고, 그러면 자연스럽게 치과기공사가 얼마나 중요한 일을 하는지 모두가 알 수 있게 되리라 생각했습니다.

미국의 치기공 전문 회사 '그라이더웰'에는 수백 명이 근무를 합니다. 가까운 일본에도 5백 명이 근무하는 회사가 있고, 중국에는 무려 2천 명이 근무하는 치기공 전문 회사가 있습니다. 그만큼 일반인들에게 신뢰도가 높은 곳으로 오랜 시간 사람들에게 기업을 알리고, 튼튼하게 구축된 곳들입니다.

앞서 이야기했듯 제가 제 일을 사랑하고, 우리의 손으로 많은 도움을 주는 만큼 사람들이 우리의 역할을 알아주었으면 합니다. 물론, 무작정 우리가 얼마나 중요한 일을 하느냐며 억지 부리듯 알려주고 싶지는 않습니다. 그저 다른 일반 회사와 다르게 잘 알려지지 않은 우리의 일을 조금 더 인정받고 싶었습니다. 그게 바로 제가 동료들에게 줄 수 있는 하나의 선물이라고 생각했습니다.

언제나 제 책상 위는 작업대나 마찬가지였습니다. 지금의 사옥으로 이사 오기 전에는 더더욱 그랬습니다. 그래도 지금 사옥에는 번듯한 제 자리가 마련되어 있기는 하지만, 지금도 틈틈이 작업을 하니 제 자리는 어수선 한 채 방치되어 있기 일쑤였습니다. 그러나 명패 하나로 약간의 변화가 있었습니다. 저의 '자리'라는 걸 다시 생각할 수 있게 됐습니다.

회사를 이전하면서 많은 사람에게 선물을 받았습니다. 대부분이 향기로운 꽃이었습니다. 사옥의 분위기를 더 살려주는 꽃 선물로 직원 모두 행복해했습니다. 그런데 명패라는 선물에는 조금 더 값진 의미가 있었습니다. '대표이사'라는 제 권위를 살려주었기 때문이라는 이유는 전혀 없습니다. 이제야 제가 목표했던 일들이 하나씩 이뤄지고, 확인 받을 수 있다는 걸 깨닫게 된 데에 있습니다.

보통 사람들은 꿈이 생기면 맹목적인 성향이 되기도 합니다. 그러다 보면, 정말 자신의 꿈이 무엇이었는지 잊게 됩니다. 그럴 땐 스스로 서 있는 자리를 한 번 돌아보는 것도 좋은 방법입니다. 지금 서 있는 자리에서 해야만 하는 일이 있듯이, 지켜야만 하는 신념도 있기 마련이니까요. 스스로 서 있는 위치에서 자신의 신념을 잊지 않기를 바랍니다.

스물아홉 번째 질문

상대를 존중하나요?

우리는 이 넓은 지구, 우주에서 내려다보면 아주 작은 존재입니다. 그 작은 존재인 우리는 아주 흔한 이들이라고도 할 수 있습니다.

누군가는 길을 걷고, 누군가는 자동차를 탑니다. 그리고 다른 누군가는 커피를 마시고 있을 테고, 누군가는 일을 하고 있습니다. 서로 다양한 위치에서 다양한 행동을 하고 있으며, 서로가 서로를 대수롭지 않게 지나치고 있는 세상입니다.

저는 살아오면서 많은 사람을 얻은 만큼 많은 사랑을 얻기도 했습니다. 사람은 무수히 많고, 누군가와 헤어지게 되면 그와 비슷한 누군가를 다시 만나기도 합니다. 하지만 누군가라는 존재는 단 하나의 존재입니다. 많은 다수 중 하나일 뿐이라고 여기는 건 사람이라는 존재를 너무 단순하게 구분 짓는 일입니다. 한 사람이라는 존재를 중요하게 여기는 건 당연한 일입니다. 대체할 수 있는 누군가가 있다는 생각 전에, 그 한 사람을 존중해야 합니다.

저는 직원들과 친밀한 관계를 중요하게 여깁니다. 다른 회사에서의 대표, 직원 사이보다 말을 더 편하게 하는 경향도 있습니다. 하지만 그건 직원들을 내 아랫사람으로 보아서가 아닙니다. 오히려 편하게 지내는 시간 속에서도 강박적일 정도로 상대를 무조건 존중해야 한다는 주의를 갖고 있습니다. 다른 이유가 있는 건 아닙니다. 그래야만 나도 누군가에게 존중받을 수 있기 때문입니다. 이러한 강박적인 태도를 모든 사람들에게 보이려고 합니다. 이러한 존중은 인정받는다는 말과 다르지 않습니다. 인정한다는 말에는 존중을 포함하고 있기 때문입니다.

한 거래처와 일을 오래 하다보면, 오더를 주고받는 일 외에 다른 일도 함께 상의해야 할 경우가 생기곤 합니다. 작게는 치과를 어느 지역으로 이전하려고 하는데, 어떻게 생각하냐는 것부터 어떤 환자에게는 치료를 다르게 바꾸려고 하는데 어떻게 생각하느냐라는 식입니다. 진료의 확대, 축소에 대한 고민도 더러 있고, 치료 순서의 고민을 나누기도 합니다.

한 업종에서 오래 일한 저도 고민이 많은데, 치과 원장님들의 고민은 오직 많겠습니까? 무엇보다 환자에게 더 좋은 치료를 하고 싶은 건 누구라도 마찬가지일 것입니다. 그럴 때 곁에서 함께 일을 진행했던 사람에게 고민 상담하듯 털어놓거나, 더 간단한 치료를 할 것인지 등을 설명하면서 생각을 정리하기도 합니다. 그렇게 함께 이야기를 나누다 보면 고맙다는 말이 절로 나오기도 합니다. 무엇보다 저를 인정해주고 존중해준다는 걸 가장 직접적으로 느끼게 됩니다.

원장님들 대부분은 저와 함께 오랜 시간을 보낸 분들입니다. 그래서 더더욱 사사로운 이야기나 중요한 이야기를 가리지 않고 말씀해주신다고 생각할 수도 있습니다. 그러나 시간의 오래됨만으로 서로를 인정하고 존중하기란 어렵습니다. 한쪽에서만 인정하고 존중하는 게 아닌 서로 함께 인정하고 존중해야만 통하는 대화에서도 알 수 있듯이, 우리는 완전하게 서로를 믿고 있습니다.

상대를 존중할 때 가장 먼저 생기는 기분 좋은 변화는 상대도 나를 존중해준다는 것입니다. 만약 내가 상대를 존중하지 않는다면, 상대는 금세 알게 됩니다. 그리고 똑같이 존중 없는 '껍데기' 같은 관계를 지속하게 될 것입니다.

가까운 가족이나 친구들 사이도 마찬가지입니다. 늘 가깝다고만 생각하고 존중하지 않는다면, 그 어떤 가까운 사이라고 해도 어긋나기 마련입니다. 어쩌면 가까운 사이에서 더욱더 빨리 상대의 감정을 느끼고 멀어질지도 모릅니다.

존중한다는 걸 상대에 대한 최소한의 예의라고 여겨야 합니다. 그리고 무엇보다 그 예의가 다른 사람도 아닌 바로 나를 향해 돌아온다는 걸 깨달아야 합니다.

서른 번째 질문

삶에서 가장 중요한 원칙은 무엇인가요?

살다보면 예측할 수 없는 일에 넘어지기도 하고, 마음에 깊은 상처를 남기기도 합니다. 삶이라는 건 정말 흘러가는 대로 둬야 하는 것 같기도 하지만, 우리는 늘 변화를 위해 애씁니다. 삶을 그저 흘러가는 대로 두는 것도 아주 나쁜 건 아닙니다. 그러나 삶을 흘러가는 대로 둘 수 있으려면, 무엇보다 자신의 삶에서 중요하게 생각하는 몇 가지를 만들어둬야 합니다.

각자 다르게 살아온 만큼 중요하다고 여기는 것도 다릅

니다. 누군가는 스스로를 가장 중요하다고 여길 수 있고, 누군가에게는 가족일 수 있으며, 누군가에게는 돈과 같은 물질일 수도 있습니다.

저는 제 삶에서 가장 중요한 원칙 몇 가지를 중요하게 여기는데, 그건 바로 '책임감'과 '약속'입니다. 어떻게 보면 약속을 지키는 것과 책임감이 있다는 것은 상통하는 말이기도 합니다. 이 두 가지 원칙은 서로가 상호 보완되어 있을 때 온전하게 유지됩니다.

대표에게 중요한 건 기업입니다. 그리고 기업에게 중요한 건 최대 이윤이라고 합니다. 이런 주장에 다들 고개를 끄덕이기 마련입니다. 하지만 저는 적절한 이윤이라고 수정하고 싶습니다. 최대라는 건 부작용이 일어날 수 있습니다. 그리고 제가 생각하는 기업의 역할은 분명 이윤이 아닙니다. 바로 직원, 거래처 그리고 제가 만든 보철물을 사용하는 고객들과의 약속을 지키고 최선을 다하는 것, 즉 책임감 있게 일을 진행하는 것입니다.

저는 기업을 운영하면서 한 번도 최대 이윤이 목적인 적이 없었습니다.

"아니, 그건 너무 무책임해요."

누군가 이렇게 말한다고 해도 기업의 목표와 방향성은 대표인 제가 설정하는 것이고, 제 회사에서는 이게 바로 원칙입니다. 그저 흘러가는 대로 삶을 내버려 둔다고 해도 이것만은 절대 변할 수 없는 일입니다.

최근 떠들썩한 일이 있었습니다. 다국적 기업에서 인체에 유해한 원료를 사용해 많은 사람들을 죽게 만든 사건이었습니다. 얼마나 끔찍한 일인지 상상조차 할 수 없는 일입니다. 그 기업은 이미 인체에 유해한 성분임을 알고 있었고, 고객들에게 알리고 전량 회수, 폐기 처리하는 대신에 외부에 사실이 유출될까 급급해하기만 했습니다.

왜 그랬을까요? 바로 기업의 목적, 최대 이윤 때문이었습니다. 어떻게든 손실을 막기 위한 행동은 너무 많은 생명을 사라지게 만들었습니다. 그리고 이에 따라 그 기업에서 일하는 국내 직원들은 전부 퇴사해야만 했습니다. 기업에서 책임지고 안전에 약속을 지키지 않아, 내부와 외부의 사람들 전부가 말로 설명할 수 없는 큰 어려움을 겪게 되었습니다. 극

단적인 결과를 가져온 이 사건은, 가장 기본이라고 할 수 있는 약속과 책임감을 미루다 생긴 악재입니다.

제가 중요하다고 생각하는 원칙 안에서 회사를 생각하면, 늘 이러한 생각부터 듭니다.

'유경덴탈워크를 통해 많은 사람들이 행복했으면 합니다.'

'제 후배들이 좋은 환경에서 일을 했으면 합니다.'

'치과기공사라는 직업이 전문가로서 더 존중받기를 바랍니다.'

어렵거나, 힘들게 획득해야 하는 것들이 아닙니다. 기업의 기본 목표이자 치과기공사로서 바랄만한 것들뿐입니다. 어렵게 획득해야만 하는 일은 곧 경쟁을 불러일으킵니다. 건강한 경쟁이 될 수도 있지만, 경쟁이라는 건 늘 승자를 만들어야만 끝이 납니다. 그러다 보면 누군가는 패배자가 되어야 하고, 서로를 이기기 위해 스스로를 병들게 만듭니다.

힘들게 획득해야만 하는 일도 마찬가지입니다. 전부가 그런 것은 아니지만, 보통 힘든 만큼의 보상을 요구하게 되고 그러다보면 욕심으로 번지게 됩니다.

적당하게 운영을 하되 신념을 지키는 게 중요하다고 하는 이유는 바로 이런 것들 때문입니다. 그리고 중요한 원칙을 건강하게 세우는 게 중요합니다. 오로지 본인을 향한 것보다는 다른 사람과 함께 나눌 수 있는 것, 그리고 도덕적인 범위로 지킬 수 있는 것들로 정해야 합니다.

서른한 번째 질문

신뢰의 기본은 무엇인가요?

제게 가장 고마운 사람을 뽑으라고 한다면, 저는 고민 없이 직원들을 뽑을 것입니다.

앞서 말했듯이, 저는 적은 수의 직원과 일을 시작했고 50명에 달하는 직원과 일하게 될 줄은 몰랐습니다. 시간이 지나 직원들이 하나둘 늘어나고, 저는 여러 명의 직원과 함께하는 사장이 되었습니다. 익숙치 않은 일이다 보니 미숙한 일들이 많았습니다. 일이 잘될 때는 밤을 지새워 만들어도 일이 줄어들지 않을 정도로 바빴다가, 갑자기 거래처가 끊기면서 일이 줄어드는 일도 있었습니다. 직원들의 월급을 챙겨주느라 제 월급이 없었던 적도 있었고, 수금이 되지 않아서 전전긍긍하기도 했습니다. 그럴 때마다 어떻게 해야 할지는 혼자 마음을 졸이며 하루를 보내기도 했습니다. 그리고 직원들의 잦은 실수에 대해 어디서부터 직접 관여해야 하는지를 두고도 수많은 고민을 했습니다.

하지만 일을 그만둘 생각은 들지 않았고, 시간이 지날수록 좋은 분들과의 연이 쌓이고 사업도 점점 자리를 잡아가게 되었습니다. 그동안 이 일을 하게 되면서 도움을 받았던 분들에게 감사함을 표하려면 끝이 없을 것입니다.

사람은 모두 실수할 수 있는 존재입니다. 상대의 마음을 읽고 나면 그렇게 어려운 일이 아닙니다. 직원과 관련된 일에 대해서는 마음을 내려놓는 게 좋습니다. 사람에 대한 기대를 내려놓는 것도 중요합니다. 그건 어디까지나 내 욕심, 내 기대일 뿐입니다. 많이 기대할수록 실망이 커진다는 건 누구나 다 아는 사실입니다.

날마다 도를 닦는다는 기분으로 살고 있습니다. 물론 나를 바라보는 누군가도 그러리라 생각합니다. 그렇지 않으면 서로가 힘들어 집니다.

7년 전에 직원을 한 번에 10명 뽑은 적이 있습니다. 당시에 경력자 2명이면 충분한데 왜 신입을 10명이나 뽑느냐며 다른 직원들의 불평이 있었습니다. 그러나 저는 확신했습니다. 제 마음에 드는 경력자가 없기도 했지만, 무언가 가르쳐주고 그들이 그들의 역량을 높일 수 있도록 하는 게 중요한 일이라고 생각했습니다. 매일 12시까지 남아있었습니다. 당시 신입 직원들의 불평도 많았습니다. 못하는 부분에 있어서 힘들어하기도 했습니다. 그러나 지금은 어떻게 됐을까요? 그들은 여전히 우리 회사에서 일하고 있습니다. 물론 중간에 나간 친구들도 있습니다. 하지만 다른 치공소에 가서도 여전히, 제가 알려준 일로 말하자면 스스로의 밥벌이를 하고 있습니다.

저는 사람의 가능성을 믿습니다. 베테랑이 된 신입사원들과 저는 여전히 한 배를 탔다고 생각합니다. 조금 부족하더라도, 함께 일을 진행하는 게 좋다고 생각합니다. 저는 신입 직원들의 일을 밤새도록 도왔습니다. 이게 진짜 도움입니다.

신뢰의 속도라는 책에서 이런 말이 있습니다. 신뢰를 받으려면 갖춰야 할 것이 있는데, 그중에는 능력이 있습니다. 냉정한 말이지만 맞는 말입니다. 능력이라는 건 이제 신뢰의 기본이 되었습니다. 차갑지만, 있는 그대로의 사실을 이해하고 받아들여야 할 것입니다.

서른두 번째 질문

긍정이 무조건 옳을까요?

저는 긍정적인 성격입니다. 여러분들은 어떠신가요?

제가 이렇게 강조하지 않아도 긍정을 강요하는 세상입니다. 몸과 마음이 조금이라도 약해지면 옆에 있는 누군가는 말합니다.

"긍정적으로 생각해. 언젠가 좋은 날이 올 거야."

"버텨야 해. 다들 그렇게 살아. 긍정적으로 생각하면 긍정적인 일이 생겨."

물론 이런 말들이 나쁜 건 아닙니다. 하지만 부정적인 말을 일부러 감추고 있는 건 분명합니다. 부정이라는 단어는 '올바르지 아니하거나 옳지 못함'이라는 뜻을 갖고 있습니다. 단적으로 봤을 땐 썩 좋지 않은 뜻인 건 분명합니다. 그러나 부정적이라는 말 전부가 옳지 않음을 뜻하지는 않습니다. 때로는 부정적인 생각도 필요합니다. 부정을 골라내고 없애기 위해서라도 명확하게 인지하고 있어야 하듯 말입니다.

세상이 어렵게 흘러가다가 조금씩 바뀌는 것 같아도 간혹 손바닥 뒤집히듯 재빠르게 바뀌기도 합니다. 지금 긍정이라고 생각했던 것들도 언젠가는 갑자기 바뀔 수 있습니다. 그럴 땐 부정이라는 말을 왜 인지해야만 하는지 알 수 있을 것입니다.

저는 간혹 긍정적인 생각으로 부정적인 생각을 미리 접어두는 게 하나의 단점이 될 수 있다고도 느낍니다. 어쩌면 부정은 더 현실적이기도 합니다. 꼭 전부 좋을 수는 없다는 걸 이미 여러 번 겪었기에 그럴지도 모릅니다. 모두가 오판을 할 수 있지만, 긍정만 있는 저에게는 오판이 더 잦게 일어나곤 했습니다.

'다 좋게 생각하고 좋게 넘기면 더 쉬운 일일 거야.'

이런 생각이 제 마음에 뿌리 깊게 박혀있으니 말입니다. 부정적인 현실을 직시하기가 간혹 어려워지기도 합니다. 하지만 그럼에도 제가 긍정적인 생각을 버리지 않는 이유는 단 하나입니다. 제 무한 긍정에 부정을 채워주는 주변 사람들이 있기 때문입니다.

처음에는 주변에서 들려오는 부정적인 말이나 생각이 유쾌하지 않았습니다.

"아니, 그렇게 말하면 될 일도 안 될 것 같아요. 왜 그렇게 다들 부정적이에요?"

더러는 이렇게 따져 묻기도 했습니다. 하지만 세상 일이 전부 쉽게 돌아갈 수 없듯이, 주변에서 우려했던 부정적인 결과가 나올 때마다 저는 그들의 말이 결코 나를 싫어해서 하는 말이 아닌 우려 섞인 걱정이라는 걸 깨달았습니다.

"이건 잘될 것 같은데?"

"대표님, 그럴 수 없어요."

아직도 이런 일들이 빈번하게 생기곤 합니다. 회사가 저 혼자만의 몫이 아니라고 생각하기에, 주위 사람들이 말리는 부분에 있어서는 저도 고집을 부리지 않습니다. 더 귀를 열고 그들의 말을 마음 깊이 새깁니다. 하지만 그렇다고 절대적으로 주변의 말을 따라가지는 않습니다. 부정적인 결과를 예측하는 변수를 뒷받침할 수 없다면, 제 뜻대로 '긍정적인 방향'으로 밀고 나가기도 합니다.

긍정이라는 말은 양면적인 얼굴을 하고 있습니다. 때로는 좋은 일을 더 좋게 만들기도 하지만, 그에 따른 결과가 나쁠 수 있다는 걸 감추기 때문입니다. 긍정이 모든 걸 감싸 안을 수는 없습니다. 이면에 있는 부정을 품고 있기에 다시 한 번 살펴야 합니다. 제가 부정에 대한 말을 아끼지 않는 것도 어렵게 지나온 길을 너무 쉽게 긍정으로 포장한 건 아닐까 하는 우려 때문입니다. 이렇게 제 삶을 글로 풀어내고, 여전히 다양한 활동을 하고 있다고 해도 절대 긍정만으로는 이런 결과를 낼 수 없었을 것입니다. 어디에든 어려운 길이 있기 마련이니 말입니다.

또한, 긍정이라는 말에는 상대적 폭력성이 있습니다. 상대에게 긍정만 강요하는 건 이제 사라져야 합니다. 나에게 긍정적인 어떤 일이 다른 누군가에게는 부정이 될 수 있다는 걸 알아야만 합니다. 또한 '긍정적으로' 마음을 편하게 가지는 것만으로 세상이 쉽게 돌아가지 않는다는 것. 모두가 아는 이 진실만으로도 제가 왜 긍정에 대한 우려를 계속해서 설명하는지 이해하리라 생각합니다.

한 번쯤은 의심하세요.

'이미 지나왔기에 너무 쉽게 단정 지어 버린 건 아닐까?'

'부정적인 걸 이미 알고 있지만, 마음을 편하게 하고 싶어서 긍정이라는 가면을 덧씌운 건 아닐까?'

이러한 의심을 통해 긍정에 도달했을 때, 진정한 긍정의 힘을 얻을 수 있을 것입니다.

서른세 번째 질문

정말,

행복하시죠?

소아마비라는 병과 싸웠던 것이 물론 쉬운 일은 아니었습니다. 많은 일들과 부딪히고 또 해결해야 했지만, 그 모든 일이 저에게 온 기회와 같다고 생각하며 지냈습니다. 많은 사람들과 이렇게 좋은 세상을 함께 바라볼 수 있게 되었다는 것만으로도 즐거운 일입니다.

중학교를 다니고, 고등학교와 대학교까지 공부를 해나갈 수 있던 것에도 고마운 마음입니다. 학업에 관련된 일에도 주변의 도움이 컸습니다. 날 도와줄 수 있는 사람이 가까이 있었기에 얼마나 마음이 든든했는지 모릅니다.

저는 지금도 늘 마음속으로 외칩니다.

'지금이 가장 행복하다.'

이렇게 주문처럼 외치고 나면 정말 행복하다는 기분에 푹 빠져들기도 합니다. 마음먹기에 따라 무엇이든 달라질 수 있다는 말이 있듯이, 이런 생각은 자신을 변화시키기 마련입니다.

저는 지금 책을 쓰고 있는 순간이 행복합니다. 그리고 책을 낼 수 있도록 출판사에서 도와주는 작업 하나하나가 감사하고 행복합니다. 그리고 직원들에게 월급을 줄 수 있음에 행복합니다. 그보다 앞서서 월급을 줄 수 있도록 열심히 일해주는 직원들에게 감사합니다. 그리고 유경덴탈워크와 계속해서 거래해주는 치과 원장님들에게도 감사합니다. 수많은 감사한 일들로 제 안에 행복이 채워지고, 그 행복에 다시 행복이 따라붙는 기분입니다.

사람들은 행복을 말할 때 지나간 것을 먼저 말하는 경우가 있습니다.

'아, 그때 정말 행복했었는데…….'

지금 와서 과거의 행복을 찾는 건 큰 도움이 되지 않습니다. 지금 현재 눈앞에 있는 행복을 먼저 찾는 것, 그리고 그 행복에 감사함을 전함으로써 행복을 유지하는 게 더 중요합니다. 그래야만 미래에도 그 행복을 움켜쥘 수 있을 테니까요.

처음 행복이라는 말을 입 밖으로 꺼냈을 땐, 저도 과거에서 찾기 바빴습니다. 그만큼 과거에 도움 받은 일이 많았기 때문입니다. 그러나 차츰 시간이 지나면서 주변에 있었던 행복은 잊고 있었다는 걸 깨달았습니다. 분명 그때도 나를 도와주던 감사한 사람이 존재했고, 저는 늘 행복한 사람이었는데 말입니다.

10년 전 저는 10년 후의 행복을 상상해보곤 했습니다. 그리고 10년이 지난 지금, 주변을 둘러보면서 조금 놀랐습니다. 10년 전에 바라고 상상했던 행복보다 더 큰 행복이 제 주변에 존재하고 있기 때문입니다.

과거에 둔 행복이나 미래에 그려둔 행복에만 연연하지 마세요. 지금 바로 우리 곁에 있는 행복이 더 크다는 걸 여러분도 느낄 수 있길 바랍니다.

거 꾸 로

걷 는

C E O

28 29 30 31 32 33
27
26
25
24
23
17 18 19 20 21 22
16
14
13
12
6 7 8 9 10 11
5
4
3
2
1

에필로그

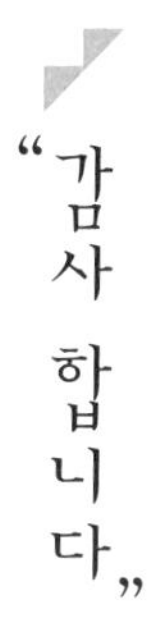

곧 있으면 제 책이 나오게 되는 이 순간, 이 말이 가장 먼저 떠오릅니다.

지금의 제가 장애에도 불구하고 이렇게 건강하고 행복한 삶을 살아갈 수 있도록 제 삶의 일부분이 되어서 함께 해준 주변의 많은 사람에게 다시 한번 감사드리고 싶습니다.

모두 이미 알고 있는 이야기일지도 모르지만, 사실 진짜 장애란 마음의 장애라고 생각합니다. 제 몸이 조금 불편한 것 정도는 이제 아무것도 아니라고 생각합니다. 하지만 만약 제 마음에 불만으로 가득하고, 누군가를 용서하지 못하고 미워하고, 별 것도 아닌 일에도 화를 내는 등의 마음이 불편한 내적 장애를 갖고 있었다면 하루하루가 정말 끔찍했으리라 생각합니다. 그렇기에 지금 이렇게 좋은 마음으로 살 수 있게 해준 모든 것들에 감사하고 행복할 수밖에 없습니다. 아마 이 행복에는 앞서 말한 건망증도 한 몫 했을 것입니다. 분명 누군가는 과거의 상처로 인해 지금도 사람을 믿지 못하고, 마음을 닫고 살지도 모릅니다. 이해합니다. 그 사람에게 무조건 다 잊어버리고 행복하게 살라는 말도 할 수 없습니다. 아무리 노력해도 쉽게 잊히지 않는 상처도 있기 때문입니다. 하지만 감히 말하고 싶은 것은 세상엔 당신을 도와줄 사람, 사랑해줄 사람도 분명 존재한다는 사실입니다. 그러니 마음의 문을 완전히 닫지는 않았으면 좋겠습니다. 따뜻한 빛이 문틈으로 새어 들어올 수 있을 만큼은 열어두었으면 좋겠습니다. 좋은 사람을 만나고 함께 살아내다 보면 상처에는 어느새 새살이 돋아나고, 저처럼 행복한 마음으로 가득 차게 될 것입니다.

제가 단 한 사람만을 위한 치아 보철물을 정성껏 만들어내는 치기공 일을 하는 것도, 큰 보람이자 행복입니다. 드라마 속 명대사처럼 정말 한 땀 한 땀, 장인정신으로 일하고 있습니다. 직업 정신과 사명을 가지고 일 하기 때문인지 제 기술에 대해서 늘 자랑스럽게 생각합니다.

누군가의 아픈 마음에 꼭 맞는 마음 조각도 이렇게 만들 수 있으면 참 좋을 텐데요. 그래서 더 이상 아프지 않고, 밝고 건강하게 살 수 있다면 얼마나 좋을까요?

남긴다는 것의 중요성을 알고 있습니다. 나름 열심히 내달려왔지만, 한 번은 제 스스로를 돌아보고 싶었습니다. 그보다 더 중요한 건, 책이라는 것의 큰 의미, 누군가에게 어떤 이야기를 전달할 수 있을까라는 고민 앞에서 반대로 질문을 나누는 게 어떨까 싶었습니다.

제가 하는 질문들은 조금 어색했을 수도 있고, 대답하기 싫은 질문들도 있었겠지만 질문 속에서 우리는 서로를 한 번 더 들여다보고 생각할 수 있었으리라 생각합니다.

거꾸로 걸으면서 써내려간 제 이야기가 누군가에게 따뜻한 위로이자 희망이 될 수 있었으면 좋겠습니다.

함께 행복한 세상을 만들어가는 유경덴탈워크 식구들과 저에게 힘이 되어주신 분들, 그리고 이 책을 읽으신 모든 분들에게 감사 인사를 전하며, 앞으로 늘 서로 사랑하고 감사할 일들로 가득하길 기도하겠습니다.

2016년 12월

마음 따듯하던 겨울날에

유경

유경덴탈워크 식구들과

저에게 힘이 되어주신 분들,

그리고 이 책을 읽으신 모든 분들께

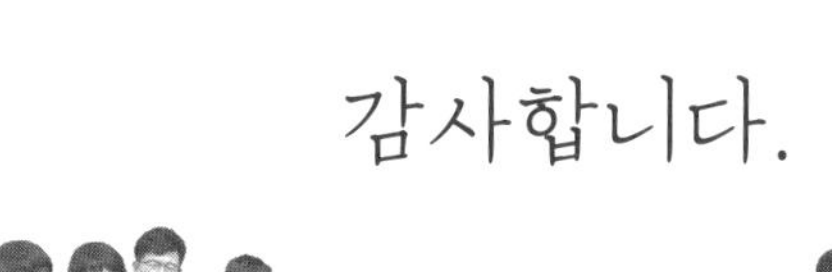

감사합니다.

거꾸로 걷는 CEO

초판 1쇄 인쇄 2016년 12월 25일 / 초판 1쇄 발행 2017년 1월 1일
지은이 유경
발행인 유준원
고문 강원국
편집 박주연, 장선아, 이지현
디자인 이완수
발행처 도서출판 더클
공급처 명문사
출판신고 제2014-000053호
주소 서울시 금천구 디지털로9길 65 백상스타타워 1차 511호
전화 (02) 6213-3222
팩스 (02) 6111-3919
전자우편 thecleceo@naver.com
홈페이지 www.theclebooks.com

ISBN 979-11-86920-15-2 (03190)

이 도서의 국립중앙도서관 출판예정도서목록(CIP)은 서지정보유통지원시스템 홈페이지(http://seoji.nl.go.kr)와 국가자료공동목록시스템(http://www.nl.go.kr/kolisnet)에서 이용하실 수 있습니다. (CIP제어번호 : 2016031216)